la vallée
des rois

OTTO NEUBERT

LA VALLÉE DES ROIS

TRADUCTION DE
C. MUNCH ET G. MARCHEGAY

BIBLIOTHÈQUE
DES
GRANDES ÉNIGMES

CHAPITRE PREMIER

L'Egypte ou le Nil !

E N AFRIQUE, au-dessous de l'équateur, et sur les hauteurs du pays d'Ouganda, s'étend le lac Victoria, grand bassin qui collecte les pluies équatoriales. Au nord de ce lac, un cours d'eau se forme, c'est le berceau du Nil. Ce petit fleuve traverse d'abord le lac Kioga et ensuite le lac Albert qui est situé encore à 621 m au-dessus du niveau de la mer. Plus loin, le Nil recueille les ruisseaux et les rivières des montagnes africaines et franchit d'immenses steppes et des marais où les animaux sauvages se donnent rendez-vous comme jadis.

Grossi par d'autres affluents, il s'appelle maintenant le Nil Blanc. Pendant des centaines de kilomètres, il parcourt le Soudan, où des gazelles, des antilopes, des zèbres, des girafes, des léopards, des lions, des éléphants et des buffles s'abreuvent de ses eaux. Et là où des crocodiles voraces troublent la paix des cormorans et des vautours, les hippopotames se vautrent dans la vase du fleuve.

Des Alpes abyssiniennes, plus exactement du lac Tana, descend un nouvel affluent : le Nil Bleu. A la conjonction du Nil Bleu et du Nil Blanc, à Khartoum, le fleuve perd ses qualificatifs et s'appelle tout simplement le Nil.

Le Nil est le second fleuve du monde, il se déroule sur 6 500 km et représente cinq fois la longueur du Rhin. Depuis le moment où il arrive en Nubie, il coule encore pendant 3 000 km jusqu'à la Méditerranée : uniquement à travers des déserts, le désert de Nubie, celui de Libye et le Sahara.

Les pyramides, XVIIIe siècle *(B.N., Est.)*.

Le Nil est beau. Il est le père nourricier de l'Egypte. L'homme moderne n'a découvert ses sources qu'il y a à peine un siècle et nos pères n'ont presque rien su du peuple, vieux de 7 000 ans, qui vivait sur ces étroites bandes de terre fertile.

Aux temps préhistoriques, la pluie était plus abondante en Egypte qu'à l'heure actuelle. La preuve en est qu'on a trouvé des outillages paléolithiques sur les hautes rives voisines des plateaux désertiques. Ces découvertes témoignent qu'à cette époque l'Egypte était un pays semi-désertique. L'Afrique n'a atteint son état actuel de sécheresse qu'au cours des siècles.

Telle que nous la connaissons, l'Egypte n'a vraisemblablement pas plus de quinze mille ans. Les terrains alluviaux ont une épaisseur de 30 m et leurs dépôts ont dû se faire à une cadence d'environ 8 cm par siècle. Ces dépôts ont certainement commencé à l'époque où le Nil Bleu a violé le lit du Nil Blanc et où il a amené l'alluvion abyssinienne. Auparavant, c'était sans doute le Nil Bleu qui avait contribué à créer le climat tropical de la zone africaine.

Déjà, dans l'Antiquité, les sources du Nil avaient été recherchées, mais le climat meurtrier des tropiques s'était chargé de décourager des hommes privés de moyens techniques.

Déjà le roi des Perses, Cambyse, qui avait détruit en 525 av. J.-C. l'empire des pharaons et qui avait vaincu son dernier maître, Psammétique, avait essayé de découvrir les sources du Nil.

Ce fut ensuite le « Père de l'Histoire », Hérodote, Grec sage et érudit, qui refit une tentative, mais il n'arriva que jusqu'à Eléphantine, île située dans la Haute-Egypte. Ce qu'il raconta par la suite tenait plutôt de la légende que de la réalité.

Ainsi le scribe du Trésor Secret de Saïs lui avait raconté que les sources jaillissaient des profondeurs de la terre et s'écoulaient d'une part vers l'Egypte, d'autre part vers l'Ethiopie. Cette erreur provenait certainement du fait que l'eau des cataractes du Nil était projetée des deux côtés.

En l'an 19 av. J.-C., Strabon, « Père de la Géographie », avait accompagné le gouverneur romain Aelius Gallus à Philae près d'Assouan, et Pline nous raconte qu'une expédition envoyée par Néron était arrivée jusqu'à l'embouchure du Sobat où elle fut arrêtée par une épaisse savane et dut faire demi-tour. D'après ces récits, l'expédition de Néron avait dû atteindre le 10ᵉ degré de latitude.

Ce fut seulement au IIᵉ siècle apr. J.-C. que le géographe Ptolémée approcha des sources du Nil. C'est lui qui parle le premier des lacs du Nil.

La domination islamique en Egypte mit fin aux voyages de ce genre. D'abord les Portugais, puis au XVIIIᵉ et au XIXᵉ siècle, les Anglais, les Ecossais et les Italiens, toutes les nations entreprirent des recherches archéologiques.

On pourrait presque donner raison au poète romain Ovide, lorsqu'il prétend que le dieu du Nil, effrayé par l'incendie de la terre causé par Phaéton, avait si bien caché sa tête qu'on ne la retrouverait jamais.

Plus tard, des missionnaires allemands présentèrent des rapports sur des lacs de l'intérieur de l'Afrique, qui incitèrent les Anglais Burton et Spaka à entreprendre des expéditions. Ils furent suivis par Heuglin Kinzelbach, Munzinger, Steudner et Knoblecher. L'expédition finale fut celle de l'Allemand Karl Peters, en 1891. C'est lui qui découvrit le secret du Nil.

Le lit du fleuve n'a en moyenne que 800 m de largeur. Les deux rives sont faites de deux bandes de terres fertiles, qui atteignent quelques kilomètres en largeur, mais jamais plus de vingt. Souvent le désert touche les bords du fleuve. Parfois ce sont des roches élevées qui le bordent. Au nord du Caire, le paysage change, c'est le début du Delta, une immense plaine fertile. Là où l'eau du Nil inonde les rives, toute une végétation luxuriante se développe comme poussée par une main magique. Mais où l'eau ne parvient pas, c'est le désert, sans aucune transition. Ici, un terrain fertile, propice à la culture du blé, du coton, de la canne à sucre, des oranges et des olives, et deux pas plus loin, c'est le désert aride. Sur les 995 000 km² il n'y en a que 35 000 de fertiles, soit 3,5 % seulement.

En Egypte, il n'y a pas de forêt et la pluie est inconnue. On serait tenté de dire que c'est un pays pauvre. Mais la sage nature a bien arrangé les choses, elle amène les eaux vers l'Egypte. De juin à septembre, c'est la saison de pluies aux sources du Nil et sur les hauts plateaux africains. Elles n'ont aucun rapport avec les pluies de chez nous : ce sont d'énormes averses tropicales dont les poings de géant secouent la forêt vierge aux cimes vertes innombrables qui ondulent tel l'Océan sous un ouragan. La quantité d'eau que les nuages déversent ensuite est inimaginable. Depuis des milliers d'années, ces eaux amènent des masses d'alluvions basaltiques qui peu à peu ont formé la vallée égyptienne et qui sont à la base de la fertilité de la terre.

Si le Nil Blanc et le Nil Bleu déversaient leurs eaux à la fois dans le grand Nil, l'Egypte serait le pays des catastrophes. Mais la nature est sage en cela également. Les eaux du Nil Bleu tombent par une série de cataractes qui prennent le pas sur celles du Nil Blanc qui, lui-même, ne prend de l'importance que lorsque le Nil Bleu tarit. A ce moment-là, lui seul fournit l'essentiel des eaux du Nil pendant cinq mois, c'est-à-dire environ 4 250 m³/s.

11

Dans l'évolution des cultures égyptiennes, le Nil a toujours joué le rôle d'initiateur. Obligés qu'ils étaient de régler le courant du Nil, les Egyptiens ont appris la science des constructions hydrométriques. C'est en observant le Nil — ce qui les a incités à l'étude de l'astronomie — que les anciens ont déterminé le cycle des inondations. Nous savons très exactement qu'ils observaient Sirius, étoile de la constellation du « Grand Chien » seulement éloignée de nous de dix années-lumière, et dont l'apparition — le 19 juin — déterminait leur Jour de l'An. Mais la rotation de la terre durant un peu plus de trois cent soixante-cinq jours, cette date n'était pas fixe et les Egyptiens se trouvaient très embarrassés car ils ignoraient encore l'année bissextile. Chaque année, les flots effaçaient les limites établies des propriétés, ce qui les obligea à créer le Cadastre. On peut dire que les premières contributions directes ont pris naissance au bord du Nil. Cet état de choses amenait des litiges qui obligèrent les Egyptiens à promulguer des lois et à se soumettre à une jurisprudence. Ainsi le Nil fut à la base d'un État organisé.

Le fleuve, d'autre part, constituait un moyen de transport. Lorsque les architectes construisaient les palais, les temples et les pyramides, les matériaux étaient transportés par voie fluviale. Des milliers de péniches, ainsi que des bateaux de plaisance avec des cabines réservées aux riches sillonnaient les flots. Il est évident que le Nil incita également à la construction des navires, car dans l'Ancien Empire le système routier était inexistant. Ainsi, depuis toujours, le Nil fut-il considéré comme le père nourricier de l'Egypte, ce qu'il est encore aujourd'hui.

Depuis 1902, il n'y a plus d'inondations. Les barra-

ges d'Assouan, d'Esma et de Caljut règlent le débit
du fleuve, ce qui permet de faire trois ou quatre
récoltes par an. Les terres constituées par des laves
anciennes donnaient un sol léger, contenant beaucoup
de potasse, mais manquant de salpêtre. Bien que le
fellah emploie aujourd'hui des engrais artificiels, cette
innovation est, en fait, le seul progrès. Tout le reste
s'effectue comme dans l'Antiquité. Les laborieux fellahs travaillent leur terre avec des charrues en bois
comme au temps des pharaons et puisent leur eau
dans des citernes primitives. Les femmes et les enfants
sont les meilleures bêtes de somme et on a l'impression
que le fellah, qui ignore le tracteur et la charrue en
acier, se trouve de mille ans en arrière. La classe
égyptienne riche est plus proche de l'Occident que
de ses frères pauvres. Ces derniers végètent dans des
cabanes de terre glaise, dépourvues de tout confort,
véritables couveuses de germes de toutes sortes.

Ces hommes vivent dans une misère indescriptible.
Ils ne savent ni lire ni écrire, et personne ne se soucie
de les initier au progrès. Ils se résignent simplement
à leur sort. « Dieu le veut ainsi... Il n'y a de Dieu
qu'Allah, et Mahomet est son prophète. » Tous les
musulmans s'inclinent par dévotion ou par habitude
et le Sphinx de Gizeh sourit depuis des millénaires.
Une seule chose a changé : les récoltes. Dans ce pays,
tout pousse ! l'Egypte pourrait être un paradis s'il n'y
avait pas la misère des humbles.

Chaque année, elle commémore une fête très
ancienne : le mariage du Nil. Dans l'Antiquité, une
belle fille était élue « Fiancée du Nil » et sacrifiée aux
flots au cours d'une cérémonie solennelle afin d'obte-
nir la fertilité du pays. La jeune Egyptienne considérait comme un honneur d'être choisie comme vic-

time. On se contente aujourd'hui d'une poupée de terre glaise.

Le Nil est un fleuve patient. Il a été témoin de toute une partie de l'histoire de l'Humanité et de siècles de misère humaine. Il lèche inlassablement les construc- tions en ciment armé de ses barrages, et ses eaux glis- sent à travers les vestiges des civilisations anciennes, des dynasties de Thoutmosis et de Ramsès, des Ptolé- mées et des Califes. Les voiles blanches et noires de larges embarcations égyptiennes se gonflent dans la brise fraîche, au milieu des nombreux bateaux de touristes ; car l'Egypte est aussi le pays des voyageurs et des convalescents. Son climat est toujours sec et chaud. Les bateaux des négociants glissent comme des papillons sur ses eaux et des centaines d'habita- tions bordent ses rives. Celui qui d'une barque contemple le paysage, au clair de lune, vit une féerie incomparable.

La sécheresse de l'air de ce pays nous a conservé pendant cinq mille ans tous les bâtiments, statues, outils ou écrits qui sont l'expression puissante du caractère, de la pensée de l'homme égyptien. Ce pay- sage uniforme et plat, qui porte les témoignages de l'une des plus belles civilisations, nous apparaît aujourd'hui comme un miracle.

CHAPITRE II

Il y a sept mille ans, les écrivains égyptiens

Nous CONSIDÉRONS volontiers les habitants du Nil comme le peuple le plus civilisé du monde à une époque où les autres nations, surtout les Grecs et les Romains, vivaient dans l'ignorance. Trois mille ans avant notre ère, les Egyptiens avaient des lois et des méthodes de gouvernement que nous font connaître leurs monuments et leurs écrits. Quelques dynasties plus tard, ils construisaient les mêmes pyramides devant lesquelles, aujourd'hui, se garent nos automobiles.

Les savants attachés aux principes établis croyaient encore, au début du XXe siècle, que l'époque historique débutait en 776 av. J.-C. Longtemps l'homme s'est imaginé que la planète était à peine plus ancienne que lui-même. En l'an 1654, Usher, primat d'Islande, déclarait catégoriquement que ses études de la Bible l'avaient amené à la certitude que la création remontait à l'an 4004 av. J.-C. au 6 octobre, à 9 heures du matin. Ce n'était pas alors une façon de voir particulièrement originale : un siècle auparavant on eût été coupable d'hérésie en osant prétendre le monde beaucoup plus vieux !

La civilisation égyptienne a prouvé sa haute antiquité par ses temples et ses pyramides. Cependant, au début de notre ère, lorsque l'étoile de Bethléem luisait au-dessus de l'étable où venait de naître un petit enfant, la décadence de l'empire des pharaons était consommée.

Il convient d'avoir présent à l'esprit cet espace de temps qui embrasse six mille ans pour bien mesurer la relative pauvreté en événements d'un millénaire d'histoire française, allemande ou romaine.

Il ne s'est écoulé que mille deux cent trente ans entre la fondation de Rome par Romulus en l'an 753 av. J.-C. et la fin du dernier Empire romain, en 476 apr. J.-C. Nulle commune mesure avec l'histoire égyptienne !

De nombreux textes gravés sur pierre, ou inscrits sur des papyrus, nous prouvent que les Egyptiens étaient lettrés. En 643 apr. J.-C. le calife Omar fit brûler une quantité de textes égyptiens : acte de barbarie et de fanatisme religieux, irréparable pour nos connaissances en égyptologie.

La Rome chrétienne du XVIe siècle n'agit pas différemment. Elle détruisit des monuments antiques qui entouraient le Forum Romanum. Afin d'orner leurs fontaines, les papes en firent desceller les marbres. On employa la poudre pour faire sauter le Serapeum dont les pierres servirent à bâtir les écuries du pape Innocent. Pendant des siècles, le Colisée servit de carrière de pierre et le pape Pie IX lui-même poursuivit en 1860 cette œuvre destructrice afin d'embellir avec des pierres païennes des édifices chrétiens.

Les visiteurs des musées égytiens s'étonnent du nombre de signes gravés sur pierre et sur bois, ou inscrits sur toile ou sur papyrus. Les Egyptiens ne connaissaient pas l'encre et la plume, ils se servaien d'une petite tige de roseau et d'une palette de bois creusée de petites cuvettes qui contenaient les couleurs.

Comme les croyants de l'Islam et de maintes autres religions, les Egyptiens confiaient aux prêtres leurs travaux d'écriture : seuls les fils de familles riches avaient le droit d'apprendre à lire et à écrire dans

Le scribe accroupi,
musée du Louvre
(photographie
P. Guichard)

des écoles dirigées par des prêtres. Ce n'était pas chose facile car il fallait connaître un minimum de cinq cents signes ! La masse avait recours aux scribes professionnels. L'enseignement était essentiellement orienté vers la théologie. Les Egyptiens étaient persuadés que les actions des dieux dominent la destinée des hommes et que le Bien est récompensé, le Mal puni. Principes qu'ils n'ont pas toujours suivis : sinon ils n'auraient pas disparu !

La vie égyptienne avec son histoire, ses guerres, ses

bonnes et mauvaises périodes, est largement connue grâce aux écrits, aux lois et édits qui les rapportent et la religion s'exprime dans la poésie des contes et des légendes qui y sont relatés. En voici quelques exemples :

Un père se fait des soucis pour son fils, il lui conseille de se perfectionner en écriture puisque l'artisanat ne lui convient pas et demande de trop gros efforts.

Ou bien encore :

Un écrivain qui vécut à la période guerrière de Ramsès II, vers 1300 av. J.-C., nous narre les souffrances d'un lieutenant égyptien pendant la campagne, les pertes d'un paysan après une grande sécheresse et les vols et le chantage d'un percepteur...

Le métier d'écrivain était certes plus agréable. Il apportait la gloire et la fortune ; de plus l'écrivain était dispensé de payer l'impôt.

Mais celui qui ne travaillait pas convenablement était blâmé. Un maître critiquait son jeune collègue : « Ton écrit est tarabiscoté : que de formules prétentieuses pour ne rien dire. Tu bâcles tout et ce qui te passe par la tête est insignifiant ; tu fais une multitude de fautes, tu interprètes et tu déformes les mots, tels qu'ils entrent dans ton cerveau. » N'ayant pas encore fini de critiquer, il poursuit : « La façon dont tu t'exprimes est un langage de bas égyptien. » A cette époque, qui était probablement celle du législateur Moïse, on avait tendance à adopter de plus en plus les mots étrangers de langue sémite. L'Egypte était depuis longtemps en guerre contre l'Asie Mineure. Le développement du commerce et l'installation, sur les bords du Nil, de nombreuses familles juives, dont les membres occupaient souvent d'importantes places à la cour du pharaon, favorisaient l'introduction des mots étrangers. Le savant Brugsch a trouvé dans un papyrus l'édit ordonnant aux Egyptiens d'éviter les mots étrangers afin de maintenir la pureté de leur langue.

On a appris qu'il y avait, en l'an 2350 av. J.-C., une grande bibliothèque à Memphis. Elle était tellement importante, qu'un très haut fonctionnaire fut chargé de la diriger (on a trouvé sa momie à Gizeh). De tous ces trésors, nous n'avons pu conserver, hélas, que quelques petits traités de philosophie.

Ces exemples nous prouvent l'érudition des Anciens mais leur civilisation fut soumise à la loi de l'évolution : dans ses débuts, toute primitive, elle donna, vers sa fin, des signes de décadence. Il faut remarquer que les hiéroglyphes étaient exempts de toute influence étrangère. Les écrits de Babylone, par exemple, ne peuvent être comparés à ceux des Egyptiens. On n'a encore pu savoir si le fonctionnarisme existait déjà à cette époque, pourtant de mauvaises langues l'affirment.

A l'époque de sa décadence, l'Egypte était occupée par les Grecs, aussi Hérodote put-il nous transmettre certains renseignements sur la civilisation égyptienne. Les quelques indications que contient la Bible ne suffisent pas à nous faire connaître l'histoire du pays du Nil. En réalité, le passé de l'Egypte n'a jamais été vraiment connu. Une grande partie des monuments fut engloutie dans le sable du désert, ainsi que la mer engloutit un navire.

Nous nous demandons pour quelle raison les Romains n'ont pas procédé à des recherches. Ne soupçonnaient-ils pas tant de trésors cachés ? Ou la guerre, seule, les intéressait-elle ?

En l'an 33 environ av. J.-C., le géographe grec Strabon parcourut l'Egypte. En l'an 39 avant notre ère, Diodore de Sicile avait accompli le même voyage. En l'an 50 de notre ère, ce fut le Romain Pline qui voyagea au pays des pharaons, mais ils n'ont laissé que très peu de renseignements.

Il est certain qu'ils admiraient les monuments et les signes mystérieux qu'ils appelèrent les hiéroglyphes. Mais pour eux, l'Egypte demeura quand même une énigme.

La nouvelle Rome possédait de nombreux papyrus sur lesquels il y avait de petits lions, des serpents, des insectes, des poissons, des oies, des anneaux, des traits et des points. Les Romains les interprétaient comme des signes et comme des symboles. Mystères d'une religion qui n'était pas destinée aux profanes. Cette conception fut répandue par un ouvrage paru sous l'occupation gréco-romaine. L'auteur, le Grec Horappollon, y avait dressé des listes d'hiéroglyphes, traduits en grec, mais la plupart de ces traductions se révélèrent comme inexactes ; aussi celles qui parurent par la suite furent-elles accueillies avec méfiance.

En l'an 320 apr. J.-C., l'empereur Constantin avait fait transporter un obélisque à Rome. Un autre obélisque en granit de cinquante mètres de haut fut amené à Constantinople où on peut l'admirer aujourd'hui encore. Un écrivain de l'époque nous a traduit ses inscriptions qui ne sont ni mystiques ni mystérieuses, mais constituent une louange au pharaon qui l'avait fait construire.

Un historien de son temps, le Jésuite allemand Athanase Kircher (1601-1680), inventeur de la lanterne magique, professeur à Wurzbourg et membre par la suite du Collegiam Romanum, publia à Rome quatre volumes de traductions d'hiéroglyphes. Bien plus tard, on lui prouva que son ouvrage ne contenait pas une ligne qui fût exacte.

Cent ans après, de Guignes, membre de l'Académie des Sciences de Paris, s'appuyant sur des comparaisons, déclara que les Chinois étaient des colons égyptiens. Certains savants anglais partageaient la même opinion.

Un érudit parisien prétendait retrouver dans les hiéroglyphes du temple de Dendera le centième psaume de la Bible, de même que selon lui l'obélisque de Pamphile portait gravée l'annonce, vieille de quatre mille ans, de la « victoire des bons sur les méchants ».

Vers la fin du XVIIIᵉ siècle, les savants Akerblad et Zoéga, le premier suédois, le second danois, déchiffraient déjà mieux les hiéroglyphes. Au Caire, Akerblad en avait copié quelques-uns et il estimait que les signes faisaient partie d'un alphabet. Zoéga crut que les anneaux représentaient des noms de rois. Mais la solution n'en fut pas trouvée pour cela ; ils avaient raison tous les deux : les hiéroglyphes ne livraient pas leur secret et l'Egypte restait pleine de mystère.

Des siècles s'écoulèrent dans cette incertitude. On connaissait nombre de temples et de pyramides, mais les raisons de leur construction étaient inconnues. La science de « la pelle » n'intéressait que quelques financiers avides mais peu entreprenants. Combien de hasards devaient encore jouer avant que l'intérêt des savants fût éveillé !

Ce hasard, c'est le général Bonaparte qui le provoqua. En 1798 il s'embarqua pour l'Egypte. Un jour, après avoir mené à bien les premières opérations et la prise du Caire, Napoléon s'arrêta devant les monuments témoins d'une grande civilisation et, s'adressant à l'armée, il s'écria : « Soldats, du haut de ces pyramides, quarante siècles vous contemplent ! » On peut penser de Napoléon et de ses campagnes ce que l'on veut, mais ces quelques mots prononcés devant les Pyramides suffiraient à le rendre immortel. Ils marquent en quelque sorte la naissance de l'égyptologie.

Un des savants qui accompagnaient Bonaparte, Dominique-Vivant Denon, prit sa tâche particulièrement à cœur. Quelques années après, il publia en 24 tomes de texte et 20 tomes d'illustrations, sa « description de l'Egypte » qui est un monument littéraire. Le monde entier s'y intéressa, mais on ne lui ménagea pas les critiques et on ne le prit pas très au sérieux, car on n'avait pas oublié son passé de peintre et de favori des dames de la Cour. Cependant, son appel avait été entendu et l'Egypte devint bientôt la curiosité à la mode. En effet, des fouilles systématiques furent entreprises, mais il fallut du temps pour en tirer une conclusion.

L'Egypte devint le paradis de la science et des savants. Pourtant personne n'arrivait à déchiffrer les hiéroglyphes. Malgré d'énormes efforts, la voie restait ouverte à la contradiction et au doute. Les prodiges accomplis à cette époque par les savants du fond de leur retraite sont immenses. Alors que le désespoir s'emparait d'eux, le hasard vint raviver leur intérêt : le 7 août 1798, la flotte britannique, placée sous les ordres de Nelson, anéantit la flotte française au large d'Aboukir. Craignant un débarquement, les soldats de Bonaparte creusèrent des tranchées dans le delta du Nil. L'un d'eux heurta de sa pelle une grande pierre plate. Il la déterra et mit au jour un bloc, de la taille d'un plateau de table. Sur le côté autrefois poli il y avait les mêmes signes déjà observés ailleurs. Le soldat ne se doutait pas qu'il avait découvert un véritable trésor. Son nom demeura ignoré, mais Bourchard, l'officier qui le commandait, entra injustement dans l'histoire.

Cette pierre comportait trois sortes d'inscriptions. Dans le haut 14 lignes d'hiéroglyphes, au milieu 32 lignes de signes démotiques et dans le bas il y avait 54 lignes en langue grecque. Tous les savants lisent le grec : un des généraux français le lisait aussi. Le texte racontait que tous les prêtres égyptiens s'étaient réunis à Memphis en 1960 av. J.-C. Cette assemblée avait eu pour but de décider des hommages à rendre au jeune roi Ptolémée, qui avait comblé de bienfaits les temples et les prêtres, et l'on était convenu d'ériger dans chaque temple une statue du roi et d'y déposer un modèle de cette pierre. La décision était transcrite en trois langues. L'expédition, on le sait, se termina mal ! L'Angleterre, victorieuse, s'empara des trésors de l'armée ainsi que de la pierre trouvée à Rosette. Le général Hutchin transporta celle-ci à Londres en même temps que d'autres antiquités et le roi George III en fit cadeau au British Museum. La défaite de Bonaparte fut donc aussi une défaite pour la science, car les subventions de l'Etat cessèrent.

Mais la science venait de trouver une sorte de « pierre philosophale » et les spécialistes allaient enfin connaître ce qui était demeuré secret pendant des milliers d'années. Dans tous les pays, des hommes se penchèrent sur les dessins et les copies de cette pierre sans jamais trouver de solution. Le célèbre orientaliste parisien, de Sacy, déclara : « Le problème est très compliqué. Il est scientifiquement insoluble. »

Il apparut d'abord qu'Akerblad avait obtenu un petit succès lorsqu'il réussit à isoler de l'ensemble quelques signes démotiques. Le médecin et inventeur anglais Thomas Young réussit plus tard à déchiffrer quelques hiéroglyphes qui pouvaient éventuellement évoquer le nom du roi Ptolémée. Mais il en était resté là. Beaucoup d'autres y perdirent leur latin ! Les uns firent des recherches sérieuses, les autres ne cherchèrent que leur publicité personnelle. En définitive, personne n'était d'accord et des bagarres sérieuses éclatèrent dans le monde scientifique.

A l'époque où l'on découvrait la pierre, vivait en France un jeune garçon appelé François Champollion. Son frère, qui avait participé à la campagne d'Egypte, l'amena un jour dans un musée contenant des objets de l'Egypte ancienne. Ces vestiges d'une époque révolue, morte, qui laissaient la plupart des gens indifférents enthousiasmèrent l'adolescent. A partir de ce moment-là, il se mit à collectionner tout ce qui touchait à l'Art égyptien. François avait décidé de déchiffrer les hiéroglyphes. Il entreprit d'apprendre le copte, qui est la langue des Egyptiens chrétiens. Ainsi était-il mieux préparé que Young pour cette grande tâche. Il pensa d'abord que les hiéroglyphes étaient une écriture composée de symboles, et il commit beaucoup d'erreurs au départ.

L'Egypte était devenue une sorte d'aimant qui attirait tout le monde. Les commerçants, les spéculateurs, les curieux et les gens avides de sensations partirent vers le Nil pour collectionner des effigies, des momies et des papyrus. On allait en Egypte pour faire des « affaires », et les musées étaient les meilleurs clients.

Les deux Champollion (1778-1867 — 1790-1832)

Mais le temps passait et Champollion, l'adolescent, était devenu un homme. Son zèle infatigable ne lui rapportait que de maigres succès. D'autre part, comme il s'occupait de politique, et qu'il était connu pour professer des doctrines révolutionnaires, il fut inquiété et dut quitter Paris. Il tomba malade, rongé par les soucis, la faim et la misère, mais à peine remis, il s'acharna de nouveau à l'étude des hiéroglyphes, et put identifier quelques noms propres.

En 1821, Champollion revint à Paris, toujours malade et sans travail. Mais ce fut précisément à cette époque que ses travaux devaient être enfin couronnés de succès. Peu de temps auparavant, il s'était rendu compte que les hiéroglyphes ne pouvaient pas être des symboles, puisque leur texte contenait trois fois plus de signes que le texte grec ne contenait de mots. D'autre part, il avait déchiffré dans un papyrus démotique le nom de la reine Cléopâtre, qu'il avait aussi traduit sur les gravures d'un obélisque transporté en Angleterre.

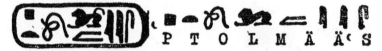

Il trouva les lettres *p, t, l, m, i, s, k, e, a, r,* ainsi qu'un deuxième signe pour le *t.* Cet obélisque et quelques documents du même genre l'aidèrent à retrouver les noms de « Ptolemaios et de Kléopatra. Il n'y avait plus de doute : Champollion avait découvert que les hiéroglyphes étaient des signes alphabétiques. A cette époque, il reçut d'Egypte quelques dessins de monuments avec des inscriptions hiéroglyphiques, sur lesquels il réussit à déchiffrer des noms de rois et de divinités. Il trouva ainsi les noms de Thoutmosis, Thot, Isis et bien d'autres. Peu de temps après, il avait atteint son but, mais il était physiquement anéanti. A bout de forces, il dit à son frère : « Je tiens l'affaire. »

A l'automne de 1822, une communication faite à l'Académie de Paris mentionnait que les hiéroglyphes étaient enfin déchiffrés. Mais Champollion ne put matériellement pas profiter de sa victoire : ses tendances révolutionnaires l'ayant signalé aux yeux du gouvernement, il n'obtint pas la place escomptée et qui aurait cadré avec ses connaissances, et il fut de nouveau inquiété. Champollion, heureusement pour lui, avait un protecteur, le duc de Blacas, curieux d'égyptologie, qui arrangea son affaire et lui facilita un voyage à Turin, où il trouva des hiéroglyphes et des papyrus, et put poursuivre ses recherches. Quelque temps après, en 1829, il réussit à partir pour l'Egypte d'où il envoya à son ami des lettres enthousiastes. Il mourut, hélas, prématurément et d'autres savants durent poursuivre ses travaux. Il restait encore beaucoup à faire, mais la victoire appartenait à Champol-

lion, qui avait trouvé qu'à côté des signes idéolo-
giques, il y avait des signes purement phonétiques,
et ce, jusque dans les inscriptions les plus anciennes.
Les travaux de Champollion sont à la base de toute
l'égyptologie, science qui progressa par la suite grâce
aux savants allemands : Lepsius, Brugsch, Erman
et Sethe.

Mais tout cela ne concernait que les hiéroglyphes,
la langue démotique restait encore à déchiffrer.

Les hiéroglyphes qui composent l'écriture de la
caste noble furent soumis à des réformes. Afin de les
simplifier, on créa l'écriture hiératique dont découla,
par la suite, l'écriture démotique, mais compliquée
encore, qui devint l'écriture du peuple égyptien.
Cependant, elle restait hermétique aux modernes. Il
s'agissait d'engager le combat contre l'écriture démotique.

Une fois de plus, le hasard les aida. En 1827,
était né à Berlin Heinrich Brugsch, fils d'un sous-
officier de la garde. Dès son plus jeune âge, en 1840,
au Lycée de Cologne, Heinrich s'intéressa au pays
des pharaons. Familier des hiéroglyphes et de leur
grammaire, il se lança dans l'étude du démotique,
issu de l'hiératique, et quoique jeune élève, il mit
au point sa grammaire démotique qui fit l'admiration
des savants. Fut-ce jalousie ? Mais l'égyptologue ber-
linois Lepsius critiqua amèrement l'ouvrage qui
trouva cependant un grand succès à Paris. Alexander
von Humboldt devint le grand protecteur de Brugsch
dont le talent fut favorisé par la chance. Ses études
terminées, il partit pour Le Caire, où il rencontra
l'égyptologue français Mariette. Plus tard Brugsch
fut agrégé de l'Université de Berlin, se rendit ensuite
en Perse et retourna en Egypte comme consul. Les

recherches qu'il avait entreprises accaparèrent son esprit. Il finit par entrer au service du gouvernement égyptien. Il parcourut le pays de la Nécropole à Memphis, jusqu'à Abou-Simbel, et couronna ses travaux par l'édition d'un dictionnaire de la langue démotique, en quatre tomes suivis de trois autres volumes. Le secret de la langue démotique était enfin percé et Heinrich Brugsch Pacha devint un héros de la science. Voici un extrait d'un mythe égyptien sur « l'Œil du Soleil », trouvé dans le papyrus de Leiden et traduit par l'égyptologue Adolf Erman :

« Il y avait une fois un lion vivant dans la montagne, il était très fort et chassait bien. Le gibier des montagnes le craignait. Un jour, il rencontra une panthère dont la fourrure était déchirée... Le lion lui demanda :

— Comment cela t'est-il arrivé ? Qui a déchiré ta fourrure ?

La panthère lui répondit :

— C'est l'homme.

Alors le lion lui demanda.

— Qu'est-ce que c'est que l'homme ?

Et la panthère répondit :

— Il n'y a rien de plus rusé que l'homme. Je te souhaite de ne pas tomber entre ses mains.

Le lion alors se fâcha contre l'homme, il quitta la panthère et se mit à la recherche de l'homme. »

Aujourd'hui, nos savants peuvent lire la langue du Nil comme leur langue maternelle. Sans la connnaissance de ces écritures, il aurait été impossible de connaître l'Egypte. Celle des hiéroglyphes est faite de paraboles ; ainsi la philosophie, la religion et la forme de l'Etat sont exprimées par des paraboles et des analogies. L'expérience a appris aux Egyptiens que la juste répartition des eaux du Nil est à la base de leur vie et en Egypte la vie est axée sur la grandeur, sur ce qui est durable et réglé. Mais un tel concept n'a pas de commune mesure avec la vie quotidienne, il n'est possible que dans l'au-delà.

Bien que l'époque des pharaons soit plus éloignée de la nôtre que celle des Romains, nous savons plus sur eux que sur Rome qui régna sur le monde beaucoup plus tard que l'Egypte. Il est certain que les Romains ont admiré les œuvres d'art égyptiennes, car ils ont rapporté chez eux des statues, des obélisques et des colonnes, mais ils n'ont rien connu de la vie des Egyptiens. Lorsqu'on ignorait encore l'Amérique, l'Egypte était déjà vieille, et quand l'Europe n'était que marais et forêts, elle était déjà très ancienne. « Souvenons-nous toujours que nous ne sommes que poussière. Des générations naîtront et mourront, des nations se créeront et disparaîtront, mais nous, nous sommes éternels ! » Telle était la pensée égyptienne bien avant les règnes d'Athènes et de Rome et il est vraiment miraculeux que les égyptologues aient pu faire revivre pour nous la grande Egypte.

Mais soyons honnêtes : tout n'a pas été entièrement éclairci ; des lacunes subsistent encore. D'ailleurs, l'Egypte dépouillée de ses secrets aurait-elle le même charme ? De beaucoup de pharaons, nous ne connaissons que les noms et le sable du désert cache certainement encore beaucoup de choses. L'Egypte sera encore longtemps le paradis des chercheurs. Nous n'avons exploré qu'une infime partie de son immense désert et de ses trésors enfouis. Sur les rives de ce Nil merveilleux qui, venant de pays lointains et brillants, court vers la mer rafraîchissante, il nous faudra pénétrer davantage dans l'esprit d'un

Ruines de Karnak, gravure de 1841 (B.N., Est)

peuple qui vécut intensément sous un soleil exception-
nel et dont le fanatisme religieux le disputait aux vices
les plus terribles, tels qu'on n'en trouve pas d'exemples analogues sur notre planète.

Pour des raisons religieuses, l'Egypte moderne, de
croyance islamique, ne se soucia pas des monuments
de ses ancêtres. Ceux qu'elle n'a pas détruits ont
dû être engloutis par les sables mouvants, et l'Egypte
ne découvrit ses trésors que lorsque les savants européens pénétrèrent chez elle. Les fouilles coûtent très
cher, les finances de l'Egypte ne permetteraient pas
de faire face aux salaires, à l'outillage, à l'entretien
des fellahs, à celui des savants et aux voyages. Ainsi
que la Perse l'avait fait pour son pétrole, l'Egypte
fut obligée de vendre les concessions des fouilles, et
à l'heure actuelle, l'exportation des trésors a pris fin.
C'est presque un bienfait, car cette industrie tenait
souvent du pillage. Aujourd'hui, la plupart des trésors reviennent au musée du Caire.

Des massues, des silex taillés, des racloirs, ces
outils « standards » de la préhistoire furent trouvés
sur les bords du Nil. Ils témoignent de la présence
des humains en ces lieux 6000 ans avant l'ère chrétienne. Sans doute étaient-ils, à l'origine, des bergers
nomades qui se fixèrent peu à peu dans ce pays,
attirés par la douceur du climat et la fertilité de son
sol. A la limite des terres fertiles, ils enterrèrent leurs
morts. Si, de nos jours encore, les cadavres vieux de
5000 ans que l'on découvre entourés de leurs offrandes funèbres sont en état de parfaite conservation,
on doit ce prodige à la sécheresse de l'air et au
terrain magnésien qui les ont protégés de la désagré-
gation. Le lecteur aura souvent à constater ce fait
dans le cours de cet ouvrage.

On connaît des tombes de l'époque néolithique dont les morts se trouvaient dans la position accroupie, le visage penché en avant. En ce qui concerne les offrandes funèbres, telles que pots ou vases en céramique, on retiendra surtout les couteaux à fard en ardoise sur lesquels des traces de couleur sont encore visibles. La Haute-Egypte était un lieu choisi de préférence pour le repos des morts. On les y ensevelissait dans des nattes ou des peaux de chèvre, également dans la position accroupie, mais le visage tourné vers l'ouest où le soleil se couche, afin de prendre son repos. Puis on découvrit encore des tombes contenant plusieurs corps : peut-être les membres de sa famille ou ses esclaves avaient-ils « accompagné » le défunt ? Détail remarquable : chaque cadavre avait un membre manquant ; pourquoi ? Il n'a pas été répondu à cette question. Quoi qu'il en soit, ces premiers Egyptiens n'étaient assurément pas des cannibales. Des massues, des flèches, des arcs se trouvaient dans ces tombes.

A Hélorian, en face de Sakkara, on trouva dans une nécropole souterraine huit cent vingt-cinq petites tombes particulières qui dataient des premiers âges de l'Egypte, car les corps qu'elles contenaient n'étaient pas embaumés et se trouvaient dans des cercueils de bois ou des urnes d'argile. Dans les pièces réservées aux provisions des morts, on découvrit des cuillers à onguent, des pots à fard, des objets d'ivoire et des amulettes représentant des symboles religieux.

On ignore de quelle région du monde venaient ces premiers Egyptiens ; était-ce de Sumérie ? Mais ce n'est pas mon affaire que de guider le lecteur à travers les premiers temps, obscurs, de l'Egypte. Par contre, je tenterai de lui faire mieux connaître l'histoire de l'Egypte, que les hiéroglyphes nous ont révélée, histoire riche en merveilleux et digne de la plus grande admiration. Commençons donc notre étude par l'époque où déjà les Egyptiens vivaient en peuple organisé et gouverné par un roi. Le premier de ces rois régnait environ 300 ans av. J.-C. ; ajoutons-y les 2000 ans environ *post Christum*, notre pensée devra donc embrasser un espace de temps de 5000 ans.

Dans le chapitre précédent, il a été parlé de l'écriture des Egyptiens ; voyons donc ce qu'elle nous apprend.

Les Egyptiens, n'ayant pas de calendrier, durent avoir de la peine à diviser le temps en longs espaces. Aussi le comptaient-ils par périodes correspondant aux dynasties qui avaient régné sur eux. Ces périodes furent ensuite inscrites en grec par le prêtre et scribe Manéthon, mais il ne subsiste de cette liste que des fragments. Toutefois, ils nous sont aujourd'hui fort utiles bien que les chiffres qu'ils citent ne soient pas toujours exacts, car Manéthon s'est parfois trompé dans le cours de cette longue histoire.

Celle-ci dut commencer 5000 ans environ av. J.-C. L'historien en ignore encore les détails. Un fait est certain, c'est que le pays fut longtemps partagé en deux parties, la Basse-Egypte et la Haute-Egypte. Chaque pays avait son dieu principal. Ce fut seulement en l'an 3200 av. J.-C. que le roi Ménès les réunit. Le partage n'en fut pas moins maintenu symboliquement. A cette époque le serpent Buto et le vautour Nechbet étaient les dieux d'Etat, l'emblème de la Basse-Egypte était le Lys et celui de la Haute-Egypte le Papyrus. C'est du moins ce qui nous fut toujours enseigné. Mais d'après les ouvrages récents d'Alexandre Scharff et d'Enton Moortgat, le roi Ménès n'aurait pas existé. Les tombeaux des premiers rois furent trouvés à Abydos et témoignent d'un grand développement de la technique artisanale, ce qui nous conduit à penser que la civilisation égyptienne remonte aux temps préhistoriques.

Cuillère et godet à onguents, musée du Louvre (photographie P. Guichard).

Ci-joint un tableau des époques de l'Histoire égyptienne [1], comparé à un tableau analogue dressé par Scharff et Moortgat, on constatera que l'on n'a cité ici que les principaux monarques. Manéthon écrivit de son temps les noms à la manière grecque, nous suivrons son exemple.

---

1. Un certain papyrus de Turin datant de la XIXe dynastie donne la nomenclature des rois d'Egypte, mais il fut fort malmené par ceux qui le consultèrent, car on ignorait de leur temps la manière de conserver ces documents.

Nous devons aux Egyptiens érudits de connaître nombre de ces rois, ainsi que leurs règnes, leurs réalisations ou leurs méfaits, qui assurèrent à leurs sujets tantôt le bonheur et la vie, tantôt la guerre, la misère et la destruction. Mais l'histoire de l'ancienne Egypte n'est que très peu connue. Dans cette période, qui s'étend sur 5000 ans, nous tombons toujours sur de nouvelles découvertes. Les archéologues devront chercher encore pendant longtemps avant que nous puissions y voir plus clair.

Du premier pharaon jusqu'au Romain Auguste, en l'an I de notre ère, une série de 360 rois environ dut régner sur l'Egypte. Hérodote parle de 330 rois jusqu'à l'époque de l'occupation grecque. Si nous connaissons leurs noms et les époques de leurs règnes, leurs actes bons ou mauvais qui amenèrent selon leurs destinées la victoire ou la décadence, la postérité le doit aux Egyptiens eux-mêmes si habiles dans l'art d'écrire. Mais l'histoire de l'ancienne Egypte est encore pour nous pleine de lacunes qui ne seront comblées, si elles le sont jamais, qu'à force d'incessantes recherches.

C'est d'abord par leurs tombeaux que les Egyptiens se révèlent le mieux à nous. Les mobiliers funéraires, les peintures à l'intérieur des tombeaux, les inscriptions qu'ils contiennent en grand nombre nous racontent leur vie terrestre, nous expliquent ce qu'ils considéraient comme le grand devoir de leur existence. Les Grecs des époques tardives brûlaient leurs morts ; en Egypte, par contre, on ne pouvait se résoudre à croire que la vie se termine par la mort. Le culte des morts entretenu par les Egyptiens est une expression de leur foi optimiste dans le prolongement de la vie au royaume souterrain de la mort.

Le premier roi de toutes les dynasties dut être Skorpion. Nous ne savons rien de lui, mais davantage déjà de Narmer, son successeur, dont nous possédons une palette à fards d'un travail remarquable. L'un des côtés de cette palette porte l'image symbolique du pharaon devant lequel sont portés quatre étendards, symboles de la puissance divine, tandis que le pharaon lui-même marche sur des cadavres. En dessous de cette image, deux animaux fabuleux ligotés. L'autre face montre le pharaon assommant à l'aide d'une massue un prisonnier de guerre agenouillé devant lui. Ce thème du triomphe nous accompagne à travers toute l'histoire égyptienne.

La tombe de Narmer nous apprend sur quel ton ce monarque et les dignitaires de sa cour s'expriment, à l'occasion d'une victoire sur les habitants des régions du nord. Le sceptre de ce roi porte mention de ses 120 000 ennemis captifs et d'un butin de 400 000 bœufs, 1 million de chèvres. Assurément, on faisait déjà des guerres fructueuses, voici 5000 ans !

Voyons donc la tombe du courtisan Hemaka, vizir du roi Usaphias de la Ire dynastie. Lorsque l'archéologue anglais Emery découvrit son tombeau, il fut très déçu, car il était vide, et il était évident que des pillards y avaient accompli leur œuvre. Cependant, lorsque, mieux pourvu en ce qui concernait son équipement d'éclairage, il se livra à une inspection plus minutieuse du tombeau, il découvrit quarante-deux pièces latérales qui avaient été murées et qui toutes contenaient une quantité d'objets familiers et émouvants.

Chose remarquable, il s'y trouvait entre autres de nombreux disques de pierre, de métal, d'ivoire ;

chaque disque avait son support et la plupart étaient ornés de dessins ou de figures. Que signifiaient ces objets ? Jamais encore la terre égyptienne n'avait rien livré de tel. Ces disques étaient-ils employés dans quelque jeu de société, en vogue il y a 5000 ans ? Peut-être étaient-ce là des amulettes ou des talismans qui devaient porter bonheur au défunt, ou des signes empreints d'une puissance magique ayant une signification mystique ?

On trouva plus loin des flèches, certaines à pointe de silex. Un faisceau de ces flèches était fiché dans un carquois de cuir. Un coffre de bois s'effondra en poussière dès qu'on l'eut touché ; il contenait des manches de hache en bois, des faucilles de bois munies de dents en silex. Les provisions de bouche étaient importantes et l'on avait amoncelé deux mille brocs de vin, afin de préserver le vizir de la soif au sombre séjour.

Charechem, un roi de la IIe dynastie, qui ne connaissait pas encore la pyramide, avait installé sa demeure funèbre dans un bâtiment mesurant 67 m en longueur, 16 en largeur et comprenant 58 pièces, qui toutes avaient été vidées des moindres objets qu'elles contenaient dès l'Antiquité. Mais les murs de ces tombeaux des premiers temps étaient fort enluminés et couverts de signes d'écriture.

Emery fit une découverte merveilleuse, telle qu'on n'en peut faire autre part que dans le pays romantique des pharaons, dans la tombe d'un vizir de la IIe dynastie. Une des pièces funèbres ressemblait fort à une salle à manger, avec sa table sur laquelle le couvert était mis. Les coupes et les assiettes en étaient d'ardoise ou d'albâtre et contenaient des colombes rôties, des poissons, des légumes, une entrecôte de bœuf entière, sans oublier les sauces ni les fruits, des pâtisseries de forme ronde et des miches de pain triangulaires. Tout cela, bien qu'ayant « séché » dans le climat égyptien, était cependant bien conservé. Le cercueil de Schlemmerere, le mort, était malheureusement tombé en poussière, mais les ossements se trouvaient en bon état. Des coupes et des urnes de pierre d'un travail remarquable n'avaient pas été touchées par le temps. Là-dessus, nous quitterons la Ire et la IIe dynastie afin de nous intéresser à la IIIe, au cours de laquelle fut construite la première pyramide.

CHAPITRE III

Pyramides, momies, nécropole de Sakkara

QUOIQUE les Egyptiens ne leur aient pas érigé de monuments, les chameaux ont joué un rôle important dans l'histoire de l'Egypte. Leur présence a souvent contribué à changer l'issue des batailles. Que seraient les régions désertiques sans chameaux et sans dromadaires ! On ne peut imaginer l'Egypte d'aujourd'hui sans eux. Par contre, on trouve partout des représentations du cheval et de l'âne. Les égyptologues savent apprécier le chameau mais ils savent aussi qu'aucun animal n'est aussi entêté, méchant et lâche. Le chameau est stupide, pourtant on le représente comme intelligent, dévoué et obéissant. Son endurance est telle qu'il porte son cavalier à des distances de 120 km dans des conditions les plus difficiles, telles qu'aucun cheval n'y résisterait. Dans le désert il peut aisément porter 150 kg et sur les routes encore davantage. Sa sobriété est connue : il peut rester quinze jours sans boire ; il est aussi modeste pour sa nourriture. Sa bosse de graisse lui sert de réserve et lui permet de jeûner longtemps. Plus sa nourriture est riche en chardons et en herbes, plus sa bosse s'arrondit ; ce sont là ses aliments préférés, le chameau se délecte comme d'une salade fraîche d'un chardon qui peut percer une botte de cuir. Avant d'entreprendre une longue randonnée dans le désert, il est capable d'absorber 50 litres d'eau.

Le chameau est peureux, il tremble devant un lapin, crie en apercevant une mouche, et fuit devant un tas de pierres ; il hurle effrayé par une souris. Tout le long de sa vie, il tremble pour sa pauvre existence de chameau, qu'il a l'air de supporter misérablement. Il n'est que tremblements et pleurs, et craint le vent et l'eau. Mais lorsque son heure a sonné, il se couche tranquillement sur le sable pour ne plus se relever. Silencieusement et sans crainte, il accepte l'inévitable et attend la mort. A la même place, le lendemain, on ne retrouve plus qu'un tas d'os : les vautours, les hyènes et les chacals ont accompli leur besogne.

Dans le désert il n'y a pas de bornes kilométriques mais les squelettes de chameaux indiquent aux voyageurs leur chemin. Tel est le chameau, qui apporte à la vie égyptienne sa contribution comme aucun autre animal ne le fait, mais personne ne témoigne du moindre amour à cette pauvre bête : il est la Cendrillon du royaume des animaux, l'esclave, qui sera toujours exploité et maltraité. Il doit accepter injures et coups de bâton jusqu'à ce qu'il tombe ou qu'on l'amène à l'abattoir.

Les ossuaires de Sakkara et de Gizeh ne sont que des déserts étendus sur des kilomètres. On ne peut les traverser qu'à dos de chameau. Les anciens n'avaient pas gaspillé un mètre de terre fertile. Ils avaient installé le cimetière de Sakkara sur les rochers du désert de Libye, sur la rive ouest du Nil, près du

Caire en face de Memphis, leur ancienne capitale.

N'avaient-ils rien de mieux à offrir à leurs morts que le sable du désert ? Cette question paraît en quelque sorte injustifiée, puisque les Egyptiens sacrifiaient tout à leurs morts. C'est ainsi que les monuments funéraires sont les témoins les plus éloquents de la civilisation égyptienne, de même que ses mausolées et ses tombeaux sont les témoins d'une piété et d'une civilisation inégalées.

Il a fallu entreprendre nombre de fouilles pour prouver au monde que, contrairement aux dires des historiens, l'histoire grecque est bien antérieure à l'année 776 av. J.-C.

L'histoire égyptienne est tout autre. Longtemps avant la naissance des Hellènes, les Egyptiens étaient déjà un peuple très ancien qui trouvait l'expression la plus forte de sa personnalité dans ses pyramides. Alors que les Grecs avaient disparu depuis longtemps, les pyramides témoignaient encore de leur civilisation. Là où l'homme se tait, les pierres parlent toujours, « les bâtisseurs sont morts, mais le temple est bâti !... »

La science de l'égyptologie avait un double objet : déceler les secrets de la vie des anciens Egyptiens et trouver les raisons profondes de leur décadence. Chaque découverte avait son importance : le moindre objet, un débris pouvaient aider à résoudre un problème dont les savants cherchaient la solution depuis des années.

Mais, hélas, au début, les savants arrivèrent en Egypte comme les chercheurs d'or de la Californie. Lorsqu'un tombeau était découvert, on violait le sarcophage, on s'emparait de l'or des momies, des papyrus et l'on s'enfuyait avec le butin.

Les savants qui se comportaient ainsi étaient de bien mauvais exemples pour les ouvriers indigènes qui les imitaient. Ces fouilles étaient comparables aux pillages de l'Antiquité et donnaient lieu à une spéculation éhontée. Lors de son séjour en Egypte au milieu du XIXe siècle, le Français Mariette voulut acheter un papyrus pour le Louvre. Scandalisé par cet état de choses, il oublia le Louvre et décida de rester sur place et de commencer des fouilles.

Dans les jardins des Nobles, on pouvait admirer de magnifiques sphinx, si nombreux qu'on aurait pu croire qu'on les avait construits à la chaîne (ce qui n'était pas le cas).

Près de Sakkara, Mariette découvrit, dans le sable, la tête d'un sphinx et en peu de temps il réussit à désensabler une immense allée garnie de 134 sphinx entre lesquels passaient autrefois de somptueuses processions.

Faisant de l'Egypte sa patrie d'élection, Mariette se dévoua entièrement à l'égyptologie. Mais il n'a pas seulement découvert des tombeaux, il était aussi collectionneur. Il fonda à Boulak un musée, ce qui mit un frein au pillage des œuvres antiques expédiées en grand nombre hors du pays.

Il s'acquit la confiance du gouvernement égyptien qui le nomma Directeur en chef des antiquités. C'est ainsi que fut posée la première pierre du célèbre Musée égyptien, qui fut ouvert au Caire, en 1902, longtemps après sa mort, et qui, par la suite, s'agrandit et devint un des plus beaux musées du monde. C'est là que désormais toutes les trouvailles faites au cours des fouilles sont apportées, car rien ne doit plus être envoyé au loin. Dans le jardin qui s'étend devant le musée se trouve la statue d'Auguste

Mariette. Les Egyptiens reconnaissants ont déposé son corps dans un sarcophage de marbre. Depuis cette époque, c'est un Français qui, traditionnellement, est le Directeur du musée. Grebout, de Morgan, Loret et Gaston Maspéro furent les successeurs de Mariette.

Lorsque, vingt ans plus tard, Flinders Pétrie arriva en Egypte, il fut navré d'apprendre que bien des savants n'avaient pas suivi les principes de Mariette, car il estimait que le véritable but d'un archéologue n'était pas seulement de rechercher des momies, mais d'étudier les mœurs des Egyptiens avant leur momification. Cette conception devait s'imposer surtout depuis que le déchiffrage de la riche littérature égyptienne était devenu possible.

Dans l'Egypte ancienne, la loi religieuse imposait aux hommes trois règles morales. D'abord il fallait honorer les dieux et leur offrir des sacrifices. Sur ce point, les Egyptiens remplissaient scrupuleusement leurs obligations. Ensuite, ils devaient respecter leur prochain, l'aider et le guider sur le droit chemin. Cette condition était plus ou moins bien remplie. Mais le devoir suprême était d'honorer les morts, de leur construire de beaux tombeaux et de les assister par des offrandes fréquemment renouvelées. Le défunt en avait besoin dans l'Au-delà. Cette troisième règle était par contre strictement observée, la richesse des tombeaux découverts le prouve.

Dans la croyance égyptienne, à la mort, l'âme ne quittait pas le corps. Elle s'en séparait momentanément pour habiter le corps d'un oiseau. Par la suite, abandonnant l' « Oiseau de l'âme », elle réintégrait l'ancien corps, mais à condition que celui-ci fût bien conservé. Si la putréfaction avait fait son œuvre, l'âme, ne pouvant revenir, disparaissait à jamais. Quel était donc le moyen de préserver le cadavre de la putréfaction ?

Hantés par cette idée, les Egyptiens s'initièrent aux pratiques de la momification. Ils frottaient les corps avec des onguents précieux et avec du « Môm » coûteux, qui valut aux corps embaumés leur nom de « momies ».

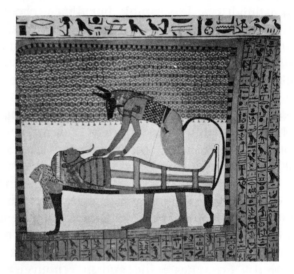

*Anubis préparant la momie de Sennedjem, nécropole de Thèbes
(photographie Roger-Viollet).*

Les embaumeurs étaient des spécialistes. Mais, à l'exception de ceux qui préparaient les cadavres des pharaons et des hauts personnages, aussi indispensable qu'elle fût, cette profession était décriée et peu recherchée, la corporation des embaumeurs était la dernière de l'échelle sociale. En revanche, menuisiers, peintres, joailliers, bijoutiers, sculpteurs et architectes jouissaient du respect général, puisque leur art était au service des défunts. Tous avaient leur divinité protectrice.

Lorsqu'il y avait un décès, ainsi que nous le relate Hérodote, un grand nombre de pleureuses accouraient. Elles se barbouillaient la tête et la figure avec le limon du Nil et traversaient les rues en pleurant jusqu'à la maison du défunt. Ces coutumes existent encore en Orient. Ensuite, on déposait le cadavre à la « Maison de la Mort » où il était solennellement momifié. Généralement, cette momification durait trente jours. Chez les Egyptiens circoncis et tatoués qui n'étaient que les nobles et les prêtres, elle durait plus longtemps et pour le pharaon elle demandait soixante-dix jours. L'art de momifier comportait une série d'opérations. Lorsqu'il s'agissait d'une haute personnalité, les prêtres priaient pendant toute cette période. Il fallait conserver le corps, libérer des démons, et aider l'âme à combattre les mauvais esprits. Ka était le symbole de l'éternité de l'âme.

Parfois, les cadavres des deux sexes étaient entièrement épilés. Plus tard, le contraire fut à la mode : on a découvert des momies avec des coiffures très soignées et des femmes qui avaient des mises en plis parfaites.

Les spécialistes commençaient par enlever, à l'aide de fils métalliques, le cerveau par le nez, ensuite on ouvrait le ventre pour enlever les intestins. L'intérieur du corps était lavé avec du vin et des essences et l'on injectait dans les artères un produit chimique. On plaçait ensuite le corps dans une solution saline. Lorsque, après un certain temps, le corps était devenu résistant on lui enlevait toute son humidité. Ce n'était pas si facile puisque le corps humain contient 75 % de liquide. Ensuite, on enduisait l'intérieur du ventre de baumes précieux, tels que l'huile de cèdre, et on le remplissait de myrrhe, de cassis, de cannelle, de grains de lotus grillés et d'essences aromatiques, puis on recousait l'ouverture. L'extérieur du corps était traité de la même façon. Les intestins étaient traités à part et conservés dans des urnes. A la place du cœur on posait une amulette sacrée.

Enfin les esthéticiens entraient en action, ils maquillaient la figure du cadavre, teignaient les lèvres et les ongles, ses paumes et la plante de ses pieds.

On plaçait une plaque d'or enduite de résine sur l'incision faite dans l'abdomen, puis les narines étaient bouchées par des tampons d'étoffe qui devaient empêcher l'écoulement du liquide qui s'était amassé dans le crâne au cours des différentes phases des travaux pour la conservation du corps.

Après quoi, les entrepreneurs des pompes funèbres présentaient à la famille endeuillée du défunt des modèles de masques mortuaires de différentes catégories, du plus beau, du plus enluminé au plus primitif, en passant par le masque modeste légèrement teinté. La famille commandait celui qui correspondait à ses moyens. Il existait aussi une autre question intéressant la bourse des héritiers : est-ce qu'au cours de l'embaumement, un ou plusieurs prêtres resteraient en méditation auprès du corps ? Assurément, cette coutume dut entraîner bien des abus, et sans doute ces maisons où l'on embaumait les morts étaient-elles peuplées de mendiants embaumeurs et de prêtres du bas clergé qui attendaient avidement les dons des familles des morts.

Venait l'instant où l'on enveloppait le corps dans

d'immenses pièces du lin le plus fin tissé dans les ateliers royaux. Hérodote l'appelait : toile de Byssus. Afin de ne point déformer le corps en le serrant dans ces bandes de lin, on posait des tampons protecteurs aux endroits du corps où les bandelettes pouvaient être par trop tendues. Le docteur Derry trouva sur une momie une pièce d'étoffe mesurant 19,25 m de longueur et 1,50 m de largeur, pliée huit fois, qui servait de rembourrage à la momie. Tout l'enveloppement avait été ensuite recouvert au pinceau avec une solution de gomme. C'est ainsi que, d'après Hérodote, on procédait à l'embaumement fort onéreux de la première classe. Selon la situation de fortune du mort, on déposait des bijoux d'or et de pierres précieuses sur le corps au cours de l'enveloppement avec des bandelettes. Pour les rois, les hauts dignitaires et les animaux sacrés, l'embaumement était une cérémonie nationale d'une haute signification à laquelle le peuple prenait une grande part. Ce que nous apprend Hérodote sur l'art de l'embaumement a été en grande partie confirmé par les recherches archéologiques. Une inscription trouvée dans la tombe d'un haut fonctionnaire de l'époque de Thoutmosis III est également intéressante à cet égard :

« Une belle et paisible mise au tombeau aura lieu lorsque tes soixante-dix jours d'embaumement seront passés et que l'on te déposera sur la civière... tu seras emmené par des taureaux immaculés... Ta route sera aspergée de lait jusqu'à ce que tu aies atteint ton tombeau. Les cœurs aimants de tes enfants te pleureront. Le prêtre ouvrira ta bouche et il achèvera ta purification. Horus descellera tes lèvres et ouvrira tes yeux et tes oreilles. Ton corps est plus proche de la perfection en tout ce qui t'appartient. On lira des

préceptes et des panégyriques ; on t'offrira un sacrifice funèbre. Ton cœur sera en toi comme il le fut
lorsque tu étais sur terre. Tu pénétreras dans ton
corps comme au jour de ta naissance. Tes courtisans
s'inclineront devant toi. Tu avanceras dans la terre
que le roi t'a donnée, dans la tombe de l'Ouest. Des
cérémonies auront lieu, les danseurs funèbres vien-
dront vers toi dans la jubilation. »

On trouve partout, même dans la Bible, des allu-
sions à ces soixante-dix jours d'embaumement. Il est
dit au Livre I de Moïse, au verset 50, que les Juifs
procédaient ainsi à l'embaumement :

« Et Joseph ordonna à ses serviteurs, aux médecins,
d'oindre son père. Et ils oignirent Israël jusqu'à ce
que quarante jours fussent écoulés car cette opération
durait tout ce temps. Les Egyptiens le pleurèrent
soixante-dix jours. »

Hérodote nous dit au sujet des méthodes de l'embaumement de deuxième classe :

« Si l'on redoute les grandes dépenses, il est sage
de choisir la classe intermédiaire. Alors, à l'aide de
seringues, on emplit le corps d'huile de cèdre. On ne
pratique aucune incision, on ne retire rien du corps.
On se contente de ces instillations par l'anus que
l'on obture ensuite afin d'empêcher l'écoulement de
l'huile ; enfin, on plonge le corps dans le bain salé.
Le dernier jour, on laisse ressortir l'huile de cèdre
qui possède une telle puissance que les entrailles
sortent du corps dissoutes. Mais la chair du mort est
en partie détruite par le bain de natron ; il n'en subsiste guère plus que la peau et les os. Lorsque cette
transformation est accomplie, ils rendent le corps... »

Celui-ci était alors enveloppé dans une grande
quantité de bandelettes du lin le plus fin, fourni par

les tissages royaux. Suivant la richesse du défunt, on plaçait sur lui des bijoux en or et des pierres précieuses. Pour les rois, les nobles et les bêtes sacrées, la momification était une cérémonie de grande importance, qui était accompagnée de processions et de divertissements populaires.

Le roi Pinotem II (B.N.).

Si les embaumeurs des hautes classes bénéficiaient de la considération générale, il en allait autrement pour les embaumeurs des pauvres qui se comportaient souvent brutalement et, comme nous le rapporte Hérodote, violaient parfois les cadavres des jeunes femmes qui leur étaient confiés. Aussi attendait-on trois jours avant de transporter les jeunes mortes chez l'embaumeur.

Les esclaves et les criminels d'origine égyptienne

n'avaient pas droit à la momification. Par contre, tous les autres Egyptiens, même les plus pauvres, y avaient droit. Les temples s'en chargeaient.

Les pauvres étaient transportés à la « Maison de la Mort ». Ces maisons étaient très nombreuses, elles étaient aménagées suivant la classe de ceux qui étaient déposés. On y pratiquait une sorte de travail à la chaîne. Les cadavres étaient suspendus à des crochets de boucher et on les jetait ensuite dans de grandes bassines pouvant contenir cinq cadavres. On les y laissait pendant trente jours dans une solution saline. Les mois ayant trente jours, ces maisons contenaient trente bassines. Une bassine, par jour, ainsi le voulait le rite. Evidemment, ces manipulations étaient extrêmement sommaires.

La momification terminée, les parents reprenaient possession du cadavre. Ceux qui n'avaient pas les moyens d'acheter un cercueil l'enveloppaient dans une peau de bœuf et dans un papyrus couvert de formules pieuses. Ceux qui ne pouvaient pas payer la fosse commune enterraient tout simplement leurs momies dans le sable du désert.

Il arrivait aussi que par une nuit noire, lorsque les veilleurs dormaient, on se glissait avec le corps dans un cimetière de riches afin de l'enterrer auprès d'une tombe princière, acte d'amour envers le défunt dans l'espoir qu'il bénéficierait un peu du sacrifice funèbre offert au riche.

Hérodote dit aussi : « S'ils trouvent un Egyptien ou un étranger emporté par un crocodile ou noyé dans le fleuve, alors ceux qui habitent la ville la plus proche ont le devoir de l'embaumer, de le parer magnifiquement et de l'ensevelir dans une tombe sacrée. Nul autre ne doit le toucher, fût-il son ami

ou son parent, hormis les prêtres du Nil qui le met
tront au tombeau de leurs mains, comme un cadavre
divin. »

On peut conclure de ce qui précède que si les Egyptiens soignaient peu les habitations des vivants, ils
déployaient un luxe invraisemblable pour leur sépulture.

Cela explique que les savants n'aient pas trouvé
traces d'habitations. On trouva très peu de ruines
qui pourraient correspondre aux palais des Rois ; les
anciens nous racontent d'ailleurs que même les palais
des pharaons ressemblaient à des auberges. Tous ces
bâtiments étant construits en terre cuite, leur existence fut éphémère.

Nous savons tout de même que ce terme d'auberge
ne correspondait pas tout à fait à la réalité car, entre
1910 et 1918, on a découvert à Médinat Habu un
palais qui témoignait d'une certaine richesse. Cette
« Maison de la Loi » était décorée avec tout le luxe
de l'époque : peintures et ornements, dalles, tapis-
series ornées de scènes de la vie animale. Des murs
bleu turquoise, et en lapis-lazuli, dont les dessins
étaient rehaussés de feuilles d'or, contribuaient à donner une ambiance de grand luxe. Le mobilier était
choisi, et le palais entouré d'un grand parc.

Par contre, on construisait les temples et les tombeaux pour l'éternité : ils étaient de granit. Le monument funéraire le plus ancien de l'Egypte est certainement le tombeau de Négade en Haute-Egypte.
Un autre fut découvert par Morgan en 1897. C'est
une bâtisse de 50 m de long. Au centre se trouve
la chambre sépulcrale, les pièces latérales étaient destinées aux cadeaux. On l'avait attribué au roi Ménès,
lequel, ainsi qu'on l'a appris plus tard, n'a même

jamais existé. Il s'agirait ici d'une erreur de lecture de Horas Aha, qui aurait été déjà commise par un scribe de la XVIIIᵉ dynastie. Cette erreur avait été acceptée jusqu'à nos jours par tous les historiens.

On a trouvé d'autres tombeaux datant d'époques antérieures, à Abydos, lieu dédié au dieu Osiris. Ces tombeaux dataient de la Iʳᵉ et de la IIᵉ dynastie. Ce qui nous paraît surprenant c'est que, lorsqu'un de ces rois mourait, on sacrifiait à sa suite la reine, une dame de la cour, un guerrier, quelques nains et un chien. Tous ces membres de la Cour avaient été « envoyés » à la suite du roi défunt. Cette coutume nous paraît cruelle. Mais apparemment c'était le plus grand bonheur de se sacrifier et de servir son maître jusque dans l'Au-delà. Aux époques ultérieures, on n'a plus observé ces mœurs barbares.

Il est évident que tous ces cadeaux attiraient les voleurs. Aussi, pour remplacer les bâtiments en briques, entreprit-on la construction des pyramides.

Faisons seller nos chameaux dès l'aurore, au plus tard au lever du soleil, afin d'atteindre à temps la nécropole de Sakkara, car plus tard dans la journée cette chevauchée sous un soleil de plomb sera moins agréable. D'abord notre petite caravane traversera pendant un moment la prospère vallée du Nil, où nous voyons des fellahs cultiver leurs terres. Ici, puis là, nous rencontrons les roues à aubes primitives qui puisent l'eau vaseuse du Nil pour la déverser dans les sillons des champs. Ces machines sont aujourd'hui encore mues, comme au temps des pharaons, par un buffle, un chameau ou un âne. Nous voyons aussi le paysan labourer sa terre avec la même charrue que dans l'Antiquité. Nous montons ensuite vers le désert où nous visiterons quelques monuments de

Sakkara. Le premier de ces bâtiments est une pyramide à plusieurs étages mesurant 60 m de hauteur. Elle avait été érigée par le roi Djoser en l'an 2560 av. J.-C. Elle ne contenait qu'une seule chambre funéraire.

Aujourd'hui, nous savons que la pyramide à étages n'eut pas tout de suite l'aspect qu'elle a à présent. Le roi Djoser fit d'abord construire une sorte de longue table. Mais cette construction lui déplut, aussi la fit-il surélever d'une construction semblable, puis enfin de cinq autres superposées. Ainsi fut construite, par hasard, la première pyramide. C'est au savant allemand, le professeur Borchard, que revient le mérite d'avoir trouvé le secret de cette construction.

Beaucoup de savants étudièrent cette pyramide et chacun lui arracha un peu de son mystère. On découvrit à l'intérieur deux sarcophages d'albâtre dont l'un contenait le corps d'un enfant. La momie du roi avait été emportée, il n'en restait qu'un pied. Dans une pièce attenante se trouvaient trois mille vases de pierre. Combien d'autres objets cette tombe n'avait-elle pas contenus ?

Après l'enterrement, le grand couloir qui conduisait à l'intérieur de la pyramide vers la chambre funéraire était obstrué avec des blocs de granit. Ainsi les voleurs ne pouvaient pas pénétrer, mais on ne pouvait plus, par conséquent, apporter la nourriture dont le mort avait besoin dans l'Au-delà. On construisit alors devant la pyramide, un petit temple, où l'on déposait tout ce qui pouvait servir au défunt. Autour s'élevaient les tombeaux de la reine, des princes et des princesses. L'architecte Imhotep ne se doutait certainement pas que bien d'autres pyramides seraient construites après la sienne !

La pyramide à étages domina longtemps, solitaire, orgueilleuse et un peu mélancolique, les dunes de Sakkara. A présent, l'endroit a été libéré des sables envahissants ; on a découvert en ce lieu quelque trente petites pyramides ainsi qu'une ville ensevelie avec des maisons d'habitation, des temples, des tombes : une Pompéi égyptienne.

La pyramide suivante fut celle du pharaon Snofrou. Construite en l'an 2720 av. J.-C., elle ne fut probablement jamais utilisée comme tombeau. Sa construction étrange lui a valu sa réputation de *fausse pyramide*. Bien que construite en granit, la partie supérieure s'écroula et fut ensablée. Elle n'a que 40 m de hauteur. Ce même Snofrou fit encore bâtir une autre pyramide mais on ne sait pas à qui elle a servi de tombeau. Comme on a pu l'apprendre par les hiéroglyphes, ces deux pyramides avaient été déjà pillées par des voleurs en l'an 1200 av. J.-C. Ce monument mesure 188 m à la base et 98 m de hauteur. C'est la première construction de pyramide pure.

La personnalité du roi Snofrou était peu connue mais, en 1947, le docteur Salem Hussein découvrit des pierres couvertes d'inscriptions auprès de cette pyramide. Se basant sur les indications qu'elles donnaient, le docteur Achmed Fakhry poursuivit les recherches et trouva, en 1951, de magnifiques statues de dieux régionaux, puis il découvrit des pièces souterraines et enfin le temple funèbre de Snofrou. Il dégagea d'autres statues, surtout l'une d'elles qui était en granit et particulièrement belle ; celle du roi Snofrou. Une stèle mesurant 6 m de hauteur et couverte d'inscriptions était également intéressante. Snofrou fut le père du grand Chéops.

Fakhry pénétra également dans la « fausse » pyramide. Un passage assez raide le mena d'en haut jusqu'à 90 m plus bas dans une immense salle dont le plafond se trouvait à 24 m au-dessus du sol : elle était vide. Une inscription citait, une fois de plus, le nom du roi Snofrou, une autre inscription annonçait : « Les portes du ciel sont ouvertes au roi qui s'élève vers elle » ; c'est la plus anciennne des inscriptions trouvées dans une pyramide et il est prouvé enfin, grâce à elle, que ce Snofrou a fait élever deux pyramides. Une petite pyramide voisine donnait des indications avec le nom de Hetaphras ; c'était son épouse. Mais les deux momies royales n'ont pas été retrouvées.

En l'an 2 600 av. J.-C., Chéops s'empara du pouvoir. Suivant la tradition religieuse, il commença aussitôt à faire édifier son tombeau, ce qui était à ses yeux beaucoup plus important que le bien-être de son peuple.

Dans la roche on creusa un tunnel profond, au bout duquel se trouvaient la chambre mortuaire et celle du trésor. Le sol rocheux évita à l'architecte de pratiquer des fondations artificielles, ce qui lui permit d'établir la première base en pierres, de fixer la largeur à 233 m au-dessus de la chambre mortuaire et d'ériger d'énormes monolithes de 5 à 7 m en forme de toit pour amortir la pression des pierres. Un couloir étroit menait à l'intérieur de la chambre funéraire où l'on avait déposé à l'avance le sarcophage de pierre.

Non loin du Caire, sur les rives est du Nil, se trouvent les carrières de Nokattam. Sous un soleil meurtrier, pendant des années, des milliers d'ouvriers taillèrent des pierres d'un m³, dont on se servait pour la construction des pyramides. Des colonnes de transporteurs, qui comptaient des milliers d'hommes, traînaient ces lourdes masses, sur de primitives glissières en bois. Des bacs chargés traversaient le Nil et sur l'autre rive, le supplice recommençait. Il fallait alors charrier les blocs jusqu'au chantier et là, sur des rampes inclinées, les hisser à la hauteur voulue. Il y avait des kilomètres de la carrière au chantier, et deux millions et demi de blocs ont été transportés sur ce chemin de sueur et de misère. La pyramide de 146 m de haut est encore aujourd'hui le symbole de la puissance d'un roi qui entendit être, sur terre, le dieu de son peuple. Peut-on réellement se recueillir avec quelque piété devant un tel monument ? Ne doit-on pas plutôt frémir de pitié en songeant à ces cent mille esclaves qui ont accompli de tels travaux pendant vingt ans dans les conditions les plus misérables ? Deux millions et demi de blocs de granit, d'un mètre cube chacun ! Combien aussi de coups de fouet ? Ne croit-on pas entendre aujourd'hui encore les gémissements des esclaves puant la sueur et l'oignon ?

Mais les esclaves n'étaient pas seuls à participer à ces travaux forcés. Chaque année, lorsque le Nil inondait les terres, ce qui rendait le travail impossible, les fellahs accouraient poussés par leurs prêtres afin d'apporter à Sa Majesté, ce roi infaillible et ce dieu gracieux, leur pharaon, le concours de leurs mains. Les rois après leurs conquêtes se faisaient toujours vénérer par leurs vassaux. Chéops, lui, leur prit force et vigueur, il était leur dieu.

Il n'est pas impossible que ces esclaves aient été fiers de participer à la construction des pyramides et il se peut qu'ils aient commencé leur journée en chantant ! Sans doute, la certitude d'élever un monument à la gloire des dieux leur facilitait la tâche. On peut l'admettre, car, par la volonté des prêtres, tout désir de justice et de progrès avait été supprimé et considéré comme un sentiment de révolte contre la Foi et contre les dieux.

A la mort du pharaon, après les obsèques célébrées en grande pompe, la pyramide était fermée pour l'éternité. A cet effet, lors de sa construction, un immense bloc de granit était préparé au-dessus du couloir. A la fin de la cérémonie et à l'aide d'un mécanisme très ingénieux, on condamnait ce couloir en faisant glisser le bloc devant l'entrée. Quelques mètres plus loin, un deuxième bloc renforçait le dispositif de sécurité.

Finalement on fermait hermétiquement le couloir camouflé. Les esclaves qui avaient accompli ce travail étaient tués, en grand secret, dans le désert. De telles mesures auraient dû préserver le tombeau de toute atteinte. Les récentes découvertes ont prouvé le contraire.

Chéops fit édifier des pyramides de 146 m de haut. Celles de Chefren ont 136 m, celle de Mycérinus a 62 m et celles de Chamet atteignaient 38 m.

Ces pyramides sont voisines. La dernière fut découverte en 1933. Juste en face d'elle on découvrit une magnifique route de procession bordée par de nombreux sphinx. Entre Gizeh, Sakkara et Dahschur, il y a 69 pyramides de tailles différentes.

Quelle somme de souffrance humaine est accumulée dans ces pierres, amoncelées dans le seul but de vénérer les dieux à tête d'animaux ! Mais il n'y a pas que ces 69 blocs. Chaque pyramide a son temple de la mort, et de nombreux sépulcres pour les familles royales et pour les courtisans. Il ne faut pas croire que ces édifices furent seulement des tombeaux. Servant aussi de coffres-forts, ils contenaient des richesses inestimables. On pense aujourd'hui que l'ancienne Egypte a construit en tout 140 pyramides.

Auprès de la pyramide de Chéops, on dégagea, en 1925, quinze tombes de la famille de Chéops : les trois petites pyramides des épouses de Chéops, dix « mastabas » de ses fils et filles et aussi de la princesse Merasankh qui était mariée à son père, le roi. Toutes ces tombes avaient été pillées. Au sujet de la princesse, Hérodote raconte une histoire scandaleuse : elle aurait fait élever son tombeau avec les gains qu'elle devait à son existence dissolue : chacun de ses amants lui aurait donné une pierre !

*Sakkara, bas-relief du tombeau de Ti : ânes à l'abreuvoir
(photographie Giraudon).*

Parmi les nombreux tombeaux privés, occupés par l'élite riche du pays, citons-en un, celui de M. Ti, opulent propriétaire, fonctionnaire à la cour et très estimé. Le vieux Ti fit construire « son appartement pour l'éternité » non loin de la Grande Pyramide. Ti était très riche, la construction de son tombeau le prouve et les inscriptions relatent qu'il était propriétaire d'immenses domaines. D'abord on pénétrait dans une antichambre, on franchissait ensuite une porte donnant dans un grand vestibule, dont le plafond de bois reposait sur 12 colonnes carrées. Cette salle était destinée aux sacrifices et aux conversations avec le mort. Un escalier d'où partait un couloir en pente menait à une autre antichambre donnant sur la chambre mortuaire où se trouvait le sarcophage du vieux Ti.

Un tombeau digne de ce nom se devait, comme un bel appartement, d'avoir plusieurs pièces. Par exemple le tombeau d'un vizir de la VIe dynastie contenait 31 pièces.

On ne saura jamais quels trésors le tombeau du vieux Ti contenait, car les pillards avaient précédé les savants. L'installation est magnifique. Sur les murs de granit poli, se trouvent des bas-reliefs représentant les scènes de la vie du défunt. Ces tableaux traitent de la vie de la campagne et de voyages sur le Nil. Plusieurs d'entre eux dépeignent le labeur des champs, la semence, la récolte, le battage du blé, l'élevage des volailles et la pâture des bêtes. Il y a également des scènes d'abattoir. On voit comment un bœuf est ligoté, comment on le tue et comment on le découpe après l'avoir tué. D'autres bas-reliefs nous montrent des paysannes apportant des canards gras, des oies, des poules et des fruits à leur seigneur et maître.

Pourquoi décorait-on ainsi les murs, avec ces scènes rurales ? Que signifiait ce culte ? Sans doute, un appel à l'esprit de sacrifice des parents du défunt, pour les inciter à se souvenir d'apporter des aliments et, en cas d'oubli, ces images nourrissaient du moins visuellement l'âme du dieu des morts Ka.

Dans les tombeaux des pharaons, on voit souvent des scènes de chasse, des faits d'armes ou la mise à mort des ennemis.

Tous les tombeaux des courtisans n'étaient pas aussi riches que celui du vieux Ti. Ils étaient parfois très modestes et leurs momies n'étaient souvent que celles des pauvres pique-assiettes — espèces connues à toutes époques — qu'ils avaient été durant leur vie.

Le cimetière de Sakkara, dont il a été parlé plus haut, contient de nombreux tombeaux de bêtes sacrées. D'abord, le cimetière des chats dédié à leur patronne Rechet. Lorsqu'un chat sacré mourait, on le momifiait et on l'enterrait en grande pompe. Un mur de briques protégeait ces nombreuses tombes.

En dehors de Sakkara, il y avait encore des tombes de chats sacrés à Boubastis et, à Thèbes, on découvrit une tombe contenant des singes sacrés ; leurs cadavres étaient dorés et enfermés dans des cercueils de carton.

Les tombeaux des taureaux sacrés étaient plus importants. Un couloir de 400 m percé dans les rochers menait vers la chambre mortuaire souterraine. Certains taureaux blancs tachés de noir au front étaient sacrés par les prêtres. Tel un humain, le taureau Apis fut adopté après sa mort par le dieu Osiris, vénéré comme le dieu des morts et appelé « le Seigneur de l'Occident ». Qu'on ait momifié un taureau et qu'on l'ait enveloppé de milliers de mètres de lin, n'est-ce pas incroyable !

Sous la conduite du pharaon escorté de sa cour, le taureau fut accompagné à sa dernière demeure, entouré d'autres taureaux et mis dans un sarcophage richement décoré.

La procession s'était déroulée sur 200 mètres, dans une allée bordée de cent cinquante statues de Sphinx.

Stèle funéraire des bœufs Apis, XIXe *dynastie (B.N.).*

Sur un autel, but du pèlerinage, les croyants déposaient leurs cadeaux. Lorsqu'on entre aujourd'ui dans ces immenses couloirs souterrains, on remarque à droite et à gauche dans les niches les nombreux sarcophages des taureaux. Ils sont soit en quartz jaune et rouge, soit en granit foncé. Le poli de leur pierre est tel qu'on imagine mal qu'ils aient trois mille ans. Une immense et extraordinaire impression de puissance se dégage de ces cercueils géants taillés en un seul morceau. Pour regarder à l'intérieur, il faut se servir d'une échelle.

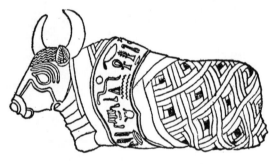

Momie d'un taureau sacré

Devant ces merveilles, l'homme moderne s'interroge. Comment les anciens ont-ils pu tailler ces immenses pierres sans outils en acier ? Comment ont-ils pu les remuer ? Les couper en rectangles, les polir comme des miroirs et les creuser à la taille d'un taureau ? Comment ont-ils pu résoudre le problème du transport sur des centaines de kilomètres, de la Haute-Egypte à la Basse-Egypte, à travers le sable mou, sans wagons spéciaux, sans grues et sans outillage ?

Aujourd'hui, évidemment, lorsqu'on construit un monument, on peut y lire sa raison d'être mais le procédé technique qui a présidé à sa construction ne nous est pas expliqué. Les Egyptiens ont dû penser de même. Leurs procédés techniques étaient courants mais aucun papyrus ne nous les explique, et ce n'est que par déduction que l'on a pu en connaître quelques détails. Dans les tombeaux de Tuthotep on a trouvé un dessin qui décrit le transport d'une petite statue. On l'avait poussée sur une sorte de petite luge traînée par mille sept cents hommes. La description est facile, mais quant à l'exécution, c'était certainement autre chose. Nous sommes en tout cas certains de ceci, en Egypte tout reposait sur la force des muscles, sur l'habileté, la patience, la persévérance, la sueur et le sang.

Sur les murs du tombeau de Thèbes, des tableaux en couleurs représentaient des gardiens armés de bâtons. Sur un papyrus traduit par Brugsch on lit qu'un gardien parle à ses ouvriers : « Ne flânez pas, j'ai un bâton. » Le bâton serait-il la véritable, la seule explication des réalisations colossales de l'Egypte antique ?

Aucune momie de taureau n'a été trouvée intacte. Toutes ont été pillées et ont dû rapporter un riche butin aux voleurs, car elles devaient contenir de l'or, des béryls, des calcédoines et du lapis-lazuli. Combien de bijoux, combien d'objets en or, combien de pierres précieuses et combien d'amulettes ont été enveloppés dans le lin de ces momies ?

Enigme qui restera toujours le secret des voleurs. Ceux-ci n'ont vu dans ces animaux que ce qu'ils étaient réellement et non des dieux, comme les voyaient les pieux Egyptiens.

Cependant, il existe une heureuse exception. Lorsque Mariette, en 1851, découvrit le monde funèbre des taureaux sacrés, il écrivit : « Je fus profondément impressionné lorsque je pénétrai dans le caveau du bœuf Apis, que nul être humain n'avait hanté depuis des millénaires... Mais, quel hasard ! au bout de quelques jours, je découvris une niche murée qui avait échappé aux recherches des pillards. Ramsès II la fit murer, en 1270 av. J.-C., ainsi que nous l'apprend une inscription. L'empreinte des doigts de l'Egyptien qui posa la dernière pierre du mur se voit encore nettement sur la chaux ainsi que celle de ses pieds sur une traînée de sable oubliée. Rien ne manquait dans cette retraite funèbre où un taureau embaumé reposait depuis quatre mille sept cents ans. »

Les chats et les taureaux sont des animaux plus ou moins sympathiques. Mais que penser des crocodiles, ces bêtes horribles, sacrées pour les Egyptiens. Quelle ironie dans un pays où l'homme du peuple était un sujet misérable, piétiné, battu et assassiné ! Au sud de Sakkara se trouve la région fertile de Faigum. Les anciens Grecs appelaient la capitale Crocodilopolis car à l'époque de la XIIᵉ dynastie, vers l'an 2000 av. J.-C., une ville se trouvant sur le Nil s'appelait Shedet. C'était le lieu du culte du dieu de l'Eau, Sucho, à tête de crocodile qui, lui, protégeait Faigum. Près du temple se trouvait un lac rempli de crocodiles sacrés.

Les prêtres soignaient et gâtaient les horribles bêtes. Ils avaient soin que le peuple les nourrît convenablement. Lorsqu'un crocodile mourait, on ne le dépouillait pas de sa peau comme on le fait maintenant pour se servir de ce cuir précieux si apprécié des femmes de notre époque. Mais il était momifié comme un roi, amené avec les plus grands honneurs dans son tombeau et longtemps après, le peuple lui apportait toujours des cadeaux. On trouve à Assouan et plus au sud à Kom Ombo des sanctuaires renfermant des momies de crocodiles sacrés, surtout dans la tombe de Montfalut.

L'ibis, qui appartient à la famille des cigognes, était le symbole du dieu Thot : le dieu de la Sagesse. Lorsque l'ibis mourait, il était enterré avec tous les honneurs.

Thot assis
(B.N.)

Ce sanctuaire du dieu Thot, « le seigneur de Chmoun », est très ancien et fut appelé plus tard Hermopolis par les Grecs. En ce lieu, on entretenait des temples, des jardins superbes et des étangs dans lesquels des ibis vivants étaient soignés et nourris par les prêtres comme dans un jardin zoologique. Mais leur retraite funèbre se trouvait profondément creusée dans la terre. L'archéologue Sami Cabra en fit la découverte. Dans le sol rocheux, un escalier monumental de cent vingt marches mène jusqu'à une vaste salle qui jadis servait à l'embaumement. Donnant sur cette salle se trouvent des pièces dans lesquelles les prêtres se livraient à leurs exercices pieux, où ils rangeaient les cadeaux et le salaire qu'ils recevaient en rémunération de leur activité.

Un labyrinthe, aux nombreux couloirs dont certains mesurent 120 m, communique avec cette salle. Les murs sont creusés de niches innombrables dans lesquelles on déposait les cercueils des ibis sacrés. Au cours de travaux qui durèrent des années, on a trouvé jusqu'à présent quatre millions d'urnes contenant des momies d'ibis envoyées de toutes les régions d'Egypte afin de leur assurer le repos en ce lieu.

Dans une salle pourvue d'un autel, il y a un babouin assis et deux ibis dorés en bois, qui regardent tous trois une porte derrière laquelle se trouve la tombe du grand prêtre Anch-Hor. Le cercueil de pierre de celui-ci a un couvercle d'argent doré. Des vases d'albâtre et trois cent soixante-cinq statuettes de faïence luisante servaient au culte funèbre : selon une vieille tradition, ces statuettes étaient chargées de remplacer le mort dans les travaux qui lui seraient imposés dans l'Au-delà. Quant à nous, notre étonnement est indicible en face de ce culte : quatre millions d'ibis et un prêtre dans cet ermitage à 34 m sous terre !

Le rat appelé ichnemon, la musaraigne, le crapaud et le scarabée dit bousier, pour n'en nommer que quelques-uns, étaient également sacrés. On déposait leurs restes dans de petits cercueils de bronze pourvus d'anses et on les suspendait en des lieux consacrés ou dans les maisons d'habitation. Toutes les bêtes sacrées étaient préservées de toute poursuite et il ne faisait pas bon si on osait les maltraiter.

Le faucon, les serpents et d'autres animaux également sacrés étaient élevés au rang de divinité. Ils

jouaient un grand rôle en ce monde et dans l'Au-
delà.

Sans doute, les Egyptiens croyaient-ils que les âmes
voyagent dans l'Au-delà. Ces ibis étaient peut-être
les « avions » des âmes immortelles. Ce culte et les
croyances qui s'y rattachent nous semblent primitifs,
et cependant certains de ces mythes expriment parfois
un profond et noble sentiment de la nature, qui fait
comprendre pourquoi certains de ces animaux étaient
élevés au rang de divinité. Mais, à bien des égards,
cette religion nous semble compliquée. Comment et
quand, par exemple, se représentait-on la réintégra-
tion de l'âme dans le corps humain qui se trouvait
embaumé, il est vrai, mais qui était en fait absolument
détruit ? L'idée que les Egyptiens se faisaient de l'éternité est également imprécise, car il semble étrange de
préparer l'éternité par tant de soins apportés à la
conservation de ces choses périssables : corps
humains, cercueils, repas funèbres...

Auprès de toutes les tombes royales ou de celles
des grands prêtres ou encore des hauts fonctionnaires,
il y avait dans les vallées funèbres de Sakkara et de
Gizeh de nombreux couloirs souterrains où l'on accu-
mulait en masse les momies des Egyptiens de basse
classe. Après qu'elles se furent desséchées pendant
quatre mille ans dans ces réserves sèches et chaudes,
elles firent l'expérience d'une « résurrection » d'un
genre particulier.

Voici cent ans des voyageurs revinrent d'Egypte
avec des récits passionnants et quelques momies dans
leurs bagages. Comme bien des personnes croyaient
encore en ce temps-là à la sorcellerie, un apothicaire
inventif imagina de se servir des momies pour en
composer une médecine. Un médecin écrivait à ce

sujet : « Il faut réduire la momie en poudre puis la mélanger à une huile végétale jusqu'à ce que cette composition ait pris la consistance d'une pommade. Cette pommade guérit les fractures, les côtes rompues et les inflammations pulmonaires [1]. »

Savary, médecin français, disait :

« Il convient de se choisir des momies bien noires qui exhalent une bonne odeur... »

Il semble à peine croyable que cette macabre médecine ait déclenché un commerce prospère que les Egyptiens encouragèrent, car il emplissait leurs coffres vides. Lorsque les inondations empêchaient les fellahs de cultiver leurs terres, ils fouillaient le sable du désert à la pelle et à la pioche, à la recherche des tombes communes bondées de momies. Il n'en manquait pas.

Cependant, comme la « réserve » de momies commençait à s'épuiser, les Juifs d'Alexandrie se mirent à fabriquer de fausses momies. On se procurait des cadavres récents d'esclaves que l'on attifait en momies, puis après un séjour de deux ou trois ans dans le sable chaud du désert, elles en étaient retirées desséchées à point, ce qui permettait d'en tirer profit. Cependant, des milliers d'autres momies valurent au champ funèbre de Sakkara sa célébrité. Ce fut aussi l'époque où tous les musées européens s'efforçaient d'acquérir quelques momies.

Le fantaisiste Théophile Gautier fait dire à la reine Cléopâtre :

« Je te l'avoue, Charmion, une pensée m'obsède qui m'emplit d'effroi. En d'autres régions de la terre,

---

1. On l'appelait de la « mumie » (N.D.T.).

les humains enterrent leurs morts afin que leur poussière se mêle bientôt à la terre. En Egypte, par contre, on pourrait dire des vivants qu'ils n'ont pas d'autre souci que la conservation de leurs morts... Par le moyen de l'embaumement, ils les préservent de l'anéantissement... Sous le sol que foule ce peuple, d'autres peuples reposent. Chaque ville est construite sur des inscriptions funèbres, chaque génération qui passe laisse après elle ses momies dans un séjour ténébreux... »

Le monument qui domine cette nécropole est la pyramide de Chéops. Quoique les gratte-ciel américains soient plus élevés parce que conçus suivant la technique architecturale, la masse de matériaux qu'ils représentent n'atteint pas une infime partie de celle de la pyramide de Gizeh. Quand nous nous rappelons que cette pyramide a été édifiée en l'an 2600 av. J.-C., c'est-à-dire il y a quatre mille six cents ans, nous ne pouvons contempler ce colosse qu'avec un sentiment de respect en dépit des cruautés qui présidèrent à sa construction.

Cet « éternel » monument semble nous regarder ironiquement : il était déjà si vieux avant même que l'humanité soit touchée par la doctrine chrétienne.

La pyramide de Chéops restera incontestablement la première des Sept Merveilles du monde, bien que les ingénieurs de l'époque ne possédassent pas notre outillage moderne. Si nous en croyons le Grec Hérodote, « le Père de l'Histoire », le ravitaillement des ouvriers aurait englouti à lui seul plus de cent milliards de francs de nos jours.

La construction technique de cette pyramide est un triomphe d'habileté, bien que les architectes se soient plusieurs fois trompés. Elle avait été commencée avec le plus grand soin afin de respecter les mesures exactes. Par la suite des erreurs furent commises. L'erreur est aussi vieille que l'humanité.

Selon les savants Smith, Moreux, Piazza et les ingénieurs Eyth et Taylor, les ingénieurs et mathématiciens du pharaon durent avoir des connaissances d'architecture et de mathématiques remarquables. Ils ont établi un traité de géométrie taillé dans la pierre et l'ont éternisé sur une superficie de 53 km². Les faits suivants sont contestés par certains savants mais je tiens à les mentionner car ils incitent à la réflexion !

La longueur totale du carré de base, du tour de la pyramide, est de 232,666 m. Au cours des milliers d'années, sa pointe a perdu plusieurs mètres, mais on a pu calculer la hauteur initiale.

En divisant la longueur du côté par la moitié de la hauteur, on obtient le nombre pi, c'est-à-dire 3,14159. Ceci est d'autant plus étonnant que les grands mathématiciens grecs, comme Pythagore qui vécut deux mille ans plus tard, n'ont pu définir le nombre pi qu'approximativement avec 3,14.

C'est seulement au XVIIe siècle apr. J.-C. qu'on a réussi à établir ce nombre aussi exactement que le constructeur de la pyramide. Les bases de la pyramide représentent un carré dont les côtés sont rigoureusement axés d'est en ouest et du nord au sud. La position géographique de la pyramide est également remarquable.

Car les degrés de longitude et de latitude qui passent sur cet emplacement sont les plus espacés du globe terrestre. Etait-ce dû au hasard ou scientifiquement déterminé par les Egyptiens, que ce point soit justement le centre de la terre ?

Tout cela n'est qu'hypothèse, mais si ces lieux

avaient été choisis intentionnellement, il serait évident que les Egyptiens d'il y a cinq mille ans avaient de meilleures connaissances géographiques que les hommes de l'époque de Christophe Colomb.

Les Egyptiens auraient-ils aussi prévu, dans les mesures de la pyramide, les lois et les mesures du sytème planétaire et le poids de notre planète ? Le nombre 5 et ses multiples jouent un rôle important dans les mesures des pyramides.

La distance de la Terre au Soleil étant de 140 millions de km, si l'on multiplie la hauteur de la pyramide par 1 million on obtient la distance de la Terre au Soleil. Puisque le volume et les mesures de la pyramide sont connus ainsi que le poids spécifique du matériel de construction, on peut facilement calculer son poids : ce dernier est exactement de 5 995 000 tonnes, et celui de la Terre est de 1 million de fois supérieur, c'est-à-dire 5 995 trillions de tonnes.

Ces exemples pourraient être longuement commentés, mais le savant allemand Eyth les a développés dans son livre : *Mathématiques et Sciences naturelles*. Le savant Piazza a fait, lui, d'autres découvertes. Il dit que la longueur d'un pouce de la pyramide correspond à la durée d'un an.

Il est certain qu'en élevant cette construction immense, les Anciens n'avaient pas comme seul but d'édifier un tombeau. Nous supposons que les architectes de Chéops avaient aussi une autre intention, celle de fixer les lois et l'histoire de l'humanité. D'ailleurs, depuis quelque temps, l'égyptologie a prouvé que les mathématiques ont été inventées par les Egyptiens.

Par contre, ce peuple n'était pas très versé en sciences naturelles, et n'était pas curieux de la nature du monde hors son propre univers. Toutes ses recherches n'étaient faites qu'en vue de servir ses propres intérêts. Il n'aurait jamais eu l'idée de s'intéresser par exemple à ses voisins, les Grecs. Il pratiquait la recherche « de la vérité pour la vérité ». Les Egyptiens de l'Antiquité avaient aussi une certaine somme de connaissances pratiques sur l'astronomie. Ils avaient divisé le ciel, baptisé quelques étoiles et inventé des instruments servant à leurs observations dont ils avaient tiré des conclusions pratiques. Mais ils n'avaient pu encore développer des théories valables au sujet de la course et du mouvement des étoiles, de leur existence et de leur apparition. De même ils n'avaient que peu de connaissances concernant la terre. La terre était-elle ronde ? Aucun peuple de l'Antiquité ne l'avait déterminé. La connaissance de l'univers est le produit le plus récent de notre astronomie contemporaine.

Avant toute chose, les pyramides servaient d'abord de tombeaux. Le savant allemand en fit ouvrir quelques-unes vers 1880. Ce n'était pas chose facile, quand on pense à la quantité de pierres qui entourent le noyau de la chambre mortuaire. Si l'on s'imagine la pyramide de Chéops en tôle et creuse, elle pourrait couvrir facilement la basilique Saint-Pierre de Rome, et si l'on alignait ses pierres, bloc à bloc, on pourrait construire un mur d'un mètre de haut qui entourerait la France entière. Avec l'aide d'hommes courageux, Brugsch se mit à l'œuvre, très impatient d'arriver au moment où il pénétrerait dans la première pyramide. Les couloirs étaient comblés, et comme la pyramide était construite en briques, et que son sommet avait été endommagé par le temps, il s'y introduisit par une brèche ouverte dans ce sommet. A l'intérieur,

Vue de la galerie haute de la grande pyramide (B.N.). ▶

l'attendait une grande déception, il y avait longtemps que les pillards étaient passé par là !... Cependant, il eut une satisfaction en trouvant sur les murs, à l'intérieur des chambres mortuaires, et sur les parois du sarcophage vidé, de nombreuses inscriptions du *Livre des morts*.

Le savant ne se découragea pas et le « cambriolage » suivant l'amena dans la pyramide de Phiops, un souverain de la VIIe dynastie après Chéops. Hélas, un même tableau s'offrit à ses yeux. Le tombeau avait été pillé, les momies déroulées et cassées en morceaux. Tout ce qu'il y trouva, ce fut une grande quantité de lin, d'une telle finesse qu'il le prit d'abord pour de la soie. La pyramide contenait de nombreuses inscriptions toutes illustrées de dessins verts. Aussi précieuses que les livres rares d'une bibliothèque, elles récompensèrent le zèle des savants à les déchiffrer. Dans bien d'autres pyramides, les pillards avaient également devancé le savant.

Voici bien des années, l'archéologue Engelbach découvrait une tombe non loin de la pyramide de Medum. Une inscription dans une des premières pièces disait : « L'esprit du mort tordra le cou du pilleur de sépultures comme celui d'une oie... » Cette mise en garde n'était pas injustifiée, car le savant trouva deux morts dans la tombe. L'un d'eux était un pilleur de sépultures ; à l'instant même où il déroulait le linceul de la momie afin de lui ôter ses bijoux, une lourde pierre tomba de la voûte du tombeau et l'assomma. Cas remarquable ! La main de la justice avait frappé durement. Les parents du voleur ont attendu en vain son retour et nul n'osa sans doute faire la lumière sur cette disparition qui ne fut expliquée que quatre mille ans plus tard.

L'égyptologue Petrie a fait à peu près les mêmes expériences : il découvrit une pyramide où, à son avis, personne n'avait pu pénétrer aux temps modernes. Nul n'en connaissait l'entrée. Dans l'espoir de se trouver sur « un terrain vierge », il se mit au travail avec ardeur et commença à déblayer la face nord. Malgré des recherches qui durèrent des semaines, il ne parvint pas à trouver l'entrée. Il tenta ensuite la même expérience sur la face est. Il y avait des montagnes de matériaux à enlever. Songeur, Petrie les regarda et décida de creuser un tunnel orienté vers le centre de la pyramide. Après des semaines d'un travail acharné, il arriva à percer une épaisse couche de briques et se heurta enfin au mur de la chambre sépulcrale. Enthousiasmé, il le fit percer, il était arrivé au but, mais aussi devant une grande déception, car le sol de la chambre sépulcrale était troué : les pillards avaient été plus malins dans l'Antiquité et s'étaient glissés par là. Curieux de savoir comment, et malgré l'étroitesse du trou et l'obscurité, Petrie réussit, contre un bon pourboire, à faire pénétrer un enfant arabe dans la cavité. Muni d'une échelle de corde et d'une bougie, celui-ci rencontra 50 cm d'eau et deux sarcophages vides : maigre résultat ! Petrie fit élargir le trou et descendit lui-même. L'eau lui monta jusqu'à la taille. Dans quelle pyramide se trouvait-il et à qui étaient ces deux sarcophages ? Il se remplit les poumons d'air et plongea. Remonté à la surface, il n'avait ramassé que quelques petits vases et quelques débris sur lesquels était inscrits le nom d'Amenemhet III. Ainsi il put savoir le nom du pharaon qui avait fait construire cette pyramide. Mais il ne s'expliquait pas encore la présence du deuxième sarcophage. Les travaux de déblaiement lui fournirent la réponse, car on découvrit un très bel autel en albâtre orné d'une centaines de figurines toutes dédiées à Ptahneferu. La fille du roi était certainement morte avant lui. Le pharaon avait dû beaucoup l'aimer et avait désiré partager sa tombe. Petrie se transforma alors en détective. Il voulait savoir comment les pillards avaient pu arriver jusque-là. D'abord, il découvrit le tunnel d'origine qui était rempli de vase. Rampant sur le ventre, il écarta avec ses mains et ses pieds cette masse puante et atteignit enfin la partie supérieure qui était sèche. Bien que ce tunnel fût un véritable labyrinthe, il réussit à se retrouver à son point de départ. Après des semaines de travail, il découvrit l'entrée et se rendit compte que la pyramide avait été pillée mille années auparavant. Ce document était une preuve du raffinement des architectes de l'époque, car on y trouvait un système compliqué de couloirs et de labyrinthes. D'ailleurs, l'entrée qui donnait vers le sud était inhabituelle, car les tombeaux des pharaons s'ouvraient en général vers le nord.

Par déduction, Petrie reconstitua le chemin emprunté par les pillards : en suivant pendant quelques mètres le couloir, il arriva sur un escalier très raide qui, à travers une obscurité totale, amenait dans une chambre apparemment sans issue. Etait-ce pour tromper les indiscrets ? Après de longues recherches, il découvrit, pratiquée dans le plafond, une trappe camouflant une sortie. Cette trappe franchie, un nouveau couloir apparut qui était rempli de pierres. Il se rendit compte qu'il se trouvait dans un couloir sans issue et dut faire demi-tour. Du couloir principal partait un deuxième tunnel amenant vers une nouvelle chambre, mais celle-ci était également sans issue. Après de longues recherches, il aperçut une nouvelle trappe, celle-ci ouverte, qui conduisait, elle aussi, dans une chambre vide. Quelles ruses de la part des architectes ! Etait-ce pour avertir les pillards de ne pas continuer à poursuivre une route si décevante, puisqu'il n'y avait certainement rien au bout !...

Une fois ressorti, on découvrait un nouveau couloir qui amenait encore vers une chambre vide, mais là il y avait quelque chose de nouveau, deux excavations dans le plancher : certainement les entrées de la chambre mortuaire. Pour les dégager, il fallut démolir toute la maçonnerie. Mais il s'agissait encore d'une fausse porte : c'était une fois de plus une ruse d'architecte !... Mais cet échec n'avait pas découragé les pillards. En poursuivant ses recherches, le savant trouva au-dessous du plancher, qu'il avait pourtant si souvent piétiné, un fossé qui amenait effectivement vers la chambre mortuaire. Ici seulement se présentait la plus grande difficulté. La chambre n'avait pas de porte, elle était en granit épais. Sa seule ouverture se trouvait au plafond, mais obstruée par un bloc de 50 tonnes, qu'il était évidemment impossible de soulever. Restait une solution : percer les murs de la chambre. C'est ce qu'avaient d'ailleurs fait les pillards. Leur peine avait été récompensée : Petrie ne trouva que des restes de diorite, des incrustations en lapis-lazuli et quelques petits vases. Tous les autres objets de valeur avaient été « démontés » par les voleurs.

Cette chambre sépulcrale était construite d'une façon étrange. Ce n'était pas un ouvrage de maçonnerie, elle était taillée dans un seul bloc de quartz de 7 m de long sur 7 m de large et 4 m de haut. Cet immense bloc de 110 tonnes avait été façonné par les Anciens ! Pour se faire une idée de son importance,

Fouilles dans la nécropole de Thèbes, fin du XIXe siècle
(photographie Roger-Viollet).

il suffit de savoir que son poids correspond à la charge de onze wagons de chemin de fer. Comment avait-il été taillé et transporté ? C'était en quelque sorte un immense sarcophage dans lequel on avait déposé ceux, plus petits, du roi et de sa fille.

Mais tout ce qui avait été tenté pour essayer de découvrir le secret de ses monuments restait vain. Les Pyramides étaient trop grandes et attiraient trop l'attention ; l'accumulation de leurs immenses trésors constituait une tentation irrésistible pour les voleurs.

Il est évident que ces pillages n'avaient certainement pas été faits en une seule nuit : il s'agissait de bandes organisées dont les prêtres étaient les complices. Ces derniers, auxquels on avait confié l'administration des nécropoles, étaient certainement les plus coupables en commettant ces abus de confiance.

Ainsi va l'Histoire : le grand pharaon de naissance royale, enseveli comme un dieu, fut retrouvé des milliers d'années plus tard, tel un pauvre diable, dépouillé de sa dignité même. A ce sujet, le texte d'un papyrus conservé dans la ville hollandaise de Leiden est le reflet d'une pensée de l'époque : « Ceux qui bâtissent avec le granit, qui construisent un hall à l'intérieur d'une pyramide, qui créent une œuvre, d'ailleurs avec tant de belle peine... leurs pierres de sacrifice sont aussi vides que celles du peuple fatigué qui meurt sur les bords du fleuve sans laisser de descendance. »

C'est la voix d'un pessimiste qui n'avait plus confiance dans les vieux rites funèbres.

Un autre papyrus, également conservé à Leiden, nous dit : « ... La vie est comme un tour de potier, les hauts conseillers ont faim, les bourgeois doivent travailler au moulin, les fils de nobles sont devenus méconnaissables et leurs enfants ont été jetés à la rue ou précipités contre les murs. Les dames se promènent en haillons et n'osent élever la voix. Par contre, ce sont les esclaves qui prennent la parole et la basse classe qui s'est enrichie. » Si l'on poursuit cette lecture, on se rend compte qu'une évolution sociale importante dut se produire aux temps anciens : on ne labourait plus la terre et le pays dépérissait.

Il s'agissait certainement d'un régime plébéien au cours duquel les classes inférieures imitaient les gens des classes supérieures. De telles révoltes nous expliquent facilement les pillages des tombeaux.

Petrie ne chômait pas. Mieux, ses déceptions l'incitaient à faire de nouvelles recherches ! Quelques mois plus tard, il fouillait le tombeau du noble Horuta, mais une fois de plus, la chambre sépulcrale était inondée. La région avait subi aux temps préarabiques de graves dégâts. Dans la chambre sépulcrale un sarcophage était enfoncé dans la vase. Il était fermé avec un couvercle qui pesait au moins une tonne et demie. Et, à cause de l'exiguïté de la pièce, il était impossible de le soulever. On entreprit alors de le découper en petits morceaux, ce qui demanda un travail de plusieurs semaines à la lueur des chandelles. Lorsque la première partie fut enlevée, le savant s'aperçut que ce n'était malheureusement là que la partie inférieure découvrant seulement le côté où se trouvaient les pieds de la momie. Il fallait recommencer toute l'opération. Petrie écrivait à ce sujet dans son journal : « ... Enfin les hommes ont réussi à hisser le lourd cercueil assez haut, mais entre l'eau qui couvre le sol et le fond du cercueil, il ne restera que peu de place pour travailler. Je viens de passer encore une journée horrible, assis à cheval sur le cercueil intérieur, avec interdiction de bouger la tête sous peine de boire l'affreux liquide qui m'entoure. Quand j'ai réussi à enlever le premier couvercle, celui du cercueil intérieur résistait, il était tellement fixé dans son lit de sable, qu'il s'opposait à tous nos efforts. Il a fallu travailler à tâtons, sans possibilité d'y voir clair. Nous venons vraiment de passer des journées horribles... »

Le cercueil intérieur était simple et sans ornements. Après avoir effectué plusieurs forages et enfoncé des tiges auxquelles il avait fixé des câbles, Petrie réussit finalement à le hisser : « ... Et enfin le grand moment arriva, qui devait être la récompense d'un travail qui avait duré des mois ; c'était le déroulage de la momie Horuta. Nous fûmes obligés de détacher morceau par morceau le lin qui avait été collé avec du goudron et nous découvrîmes au fur et à mesure les amulettes ; une bague en or au doigt de la momie, des oiseaux en or incrustés de pierres précieuses, des statuettes en lapis-lazuli, des amulettes en béryl et en cornaline. Nous fûmes bien payés de notre patience, car jamais archéologue n'avait trouvé de telles merveilles. »

C'est ce qu'écrivait Petrie plein de reconnaissance, car il ne se doutait pas que le tombeau de cet Horuta était presque misérable à côté de ceux qu'il devait découvrir plus tard.

La plupart des résultats obtenus dans les autres pyramides ne furent que déceptions. On avait dû se contenter des inscriptions, d'ailleurs nombreuses qu'elles contenaient, et ce n'était déjà pas si mal.

Le Livre de la mort apportait des éclaircissements historiques de grande valeur. On y lisait les noms des architectes, les dates des dynasties et leur système de gouvernement y était expliqué. On découvrit ensuite des récits ayant trait à des générations antérieures de rois haïs et méprisés pour avoir fait édifier de colossales pyramides dont la construction avait exigé de trop lourds sacrifices de la part de légions d'ouvriers.

Celles des inscriptions qui relatent la vie des rois nous paraissent particulièrement intéressantes. D'après elles, la vie de l'homme était comparable à la course du soleil, l'homme était le fluide émanant d'un rayon divin du soleil. Le rayon provenant du sud entrait dans le corps du nouveau-né et retournait après la mort de celui-ci vers l'éternelle divinité, vers la source même de la lumière. La vie de l'homme faisait intégralement partie du système solaire.

L'homme est né à l'est et s'en va vers l'ouest, comme le soleil. Après sa disparition, le mort suit la course du soleil vers sa région nocturne, pour se retrouver à l'est au point initial, afin de s'unir à la divinité et entrer dans la lumière éternelle. Cette migration prend le sens contraire de la course de la vie de l'est vers l'ouest. Les morts voyagent de l'ouest à l'est. C'est le thème principal de toutes ces inscriptions. Elles nous dévoilent aussi les conditions de l'existence dans l'Au-delà ; elles nous apprennent quelles étoiles le défunt a pu admirer pendant le grand voyage; elles évoquent les régions infernales et les habitants de la vie céleste...

Nous savons donc pourquoi les temples et les tombeaux étaient construits à l'ouest du Nil : c'est parce que le royaume des morts se trouve à l'ouest, que le soleil se couche à l'ouest... A l'aide d'autres inscriptions on a pu découvrir la règle qui régit la suite chronologique de la construction des pyramides. Cette loi indiquait que le plus ancien des pharaons avait dû bâtir sa pyramide le plus possible au nord ; ses successeurs, eux, avaient bâti vers le sud. C'est là une certitude importante pour les égyptologues. Ainsi que nous l'avons pu observer jusque dans les détails, l'évolution de l'histoire égyptienne se déroule toujours du nord vers le sud. Nous arrivons d'ailleurs à cette même conclusion par des observations analogues. La ville de Memphis, près du Caire, était primitivement le centre de l'Egypte, plus tard ce centre se déplaça vers Thèbes qui est plus au sud, et plus on va vers le sud plus les monuments sont récents et l'histoire proche de nous.

Les derniers monuments construits se trouvent en Ethiopie : ce sont les pyramides de Méroué, derniers vestiges de l'ancienne Egypte. Les pyramides sont toujours des tombeaux, et étaient les symboles d'une croyance, mais elles n'ont rien de rationnel.

Nos cathédrales sont les lieux de recueillement de la Chrétienté. Les régions sacrées des pyramides étaient les lieux de recueillement du peuple, qui sacrifiait à l'âme du défunt.

D'où sont venus les Egyptiens ? De l'Afrique ou de l'Asie ? Ont-ils hérité de l'esprit actif des Sumériens, ou au contraire leur ont-ils transmis leur génie ? Ont-ils été inspirés par les peuples qui venaient du Grand Nord à travers la Méditerranée ? Ici la science se tait. Nous savons ce que sont devenus les Egyptiens. Des erreurs répétées, les guerres qu'ils ont provoquées, les ont conduits à leur perte.

D'autres mystères restent sans réponse. En 1943, des archéologues ont trouvé un coffre qui date de l'an 900 av. J.-C. ; ce coffre était rempli de plumes de marabout qui avaient été recueillies par le cruel

Pages suivantes : Le sphinx, gravure de Vivant Denon (B.N., Est). ▶

architecte Ephara. On y a retrouvé aussi un papyrus concernant les « sphinx esclaves ». Pendant longtemps, les savants se sont demandé où pouvaient bien se trouver ces sphinx et quelle était leur raison d'être. Le hasard apporta la solution en 1952. Une caravane de commerce guidée par Omar et Hawari traversait les dunes dans le Sud libyen pendant une tempête de sable. Pour se mettre à l'abri, elle se réfugia derrière des collines voisines. Une sculpture, représentant une tête, émergeait du sable que cette tempête avait soulevé. Les Arabes se trouvaient aux pieds d'un sphinx en pierre de taille de 20 m de haut, dont le corps avait 80 m de long.

Hawari alerta les égyptologues, et le professeur Taminarouk se rendit sur place avec des ouvriers.

A l'aide d'une échelle, il atteignit une ouverture qui se trouvait à 15 m de haut et il pénétra à l'intérieur du monument. Un affreux tableau s'offrait à ses yeux. Dans une grande salle, de nombreuses courroies de cuir pendaient du plafond, conservées à travers des milliers d'années et auxquelles étaient encore suspendus des squelettes attachés par les pieds. Ces esclaves avaient-ils été exécutés pour sauvegarder le secret des Pyramides, ou étaient-ils simplement les victimes d'une expédition punitive ? Nous le saurons sans doute jamais.

Depuis, on a découvert cinq autres sphinx de ce genre. La tête du sphinx représente toujours l'image d'un roi. C'est pour cela qu'il porte le serpent Uraeus et la tête de vautour au front. Les sphinx ne sont pas

toujours faits du mélange d'un corps de lion et d'une tête humaine, ils ont parfois une tête de bélier. Le visage du sphinx de Gizeh est endommagé. La légende raconte que des mameluks, poussés par leur haine de l'Antiquité païenne, auraient tiré contre ce monument à coups de canon. Mais ceci n'est pas prouvé.

On dit « le sphinx », ce qui est inexact. Le mot sphinx, nous ne le connaissons que depuis l'occupation grecque. Ceux-ci appelaient sphinx les images d'animaux fabuleux qui semblaient mystérieux aux humains. Il existe en Egypte des sphinx qui n'ont pas de tête d'homme, de femme ou de bélier. Le mot sphinx désigne le genre de ces divers animaux et on le faisait précéder de l'article féminin, en fait on disait : *la sphinx* [1] !

Pour terminer, rappelons que les Egyptiens connaissaient deux sortes de temples : les temples consacrés aux dieux et les temples des morts. On élevait de vastes temples aux dieux de première catégorie, le plus grand était celui du dieu Amon. Dans ces temples, on adorait les dieux et on leur offrait de grands sacrifices. Quant aux temples des morts, ils étaient construits près des tombes des grands. On y révérait les morts et l'on déposait des dons sur les autels, surtout de la nourriture, dont le mort avait besoin dans l'Au-delà. L'intérieur des temples était dirigé par de nombreux prêtres et prêtresses, servis par des domestiques attachés au temple. Les temples des premiers temps sont très ravagés, tandis que ceux des époques intermédiaires ou plus récentes sont bien conservés.

---

1. Sphigx.

CHAPITRE IV

Sanctuaires
et nuits de harem

L'ANCIEN EMPIRE périt vers le troisième millénaire, l'Empire Moyen lui succéda. Le dieu Amon et son épouse étaient restés les divinités d'Etat, on leur édifiait les temples les plus fastueux, tels que le temple de Karnak. A Louqsor, on construisit beaucoup de temples, mais moins rapidement. Plusieurs d'entre eux ont demandé des siècles de labeur, et il est difficile de se faire une idée de leurs richesses.

Le Ramesseum construit par Ramsès II était une immense salle soutenue par des colonnes. Il y avait trois grandes nefs principales et six nefs latérales. Les piliers étaient en granit, chacun de 24 m de haut, et 134 d'entre eux formaient une double rangée. Il y avait en outre des pylônes, des obélisques, des statues et des rues bordées de sphinx.

En 1899, 11 colonnes s'abattirent brusquement. Lorsque l'égyptologue Legrain les eut relevées, il découvrit dans le sous-sol du temple plus de 1 000 statuettes. Des années après, on trouva encore de nombreuses statuettes de dieux : 779 en pierre et 17 000 en bronze. Celles-ci avaient été déposées sur les autels en manière de dons au cours d'une longue suite d'années ; les prêtres les avaient enfin mises de côté dans une pièce.

Mais parlons des pylônes, des obélisques, des statues géantes et des allées bordées de sphinx.

Vue partielle du Ramesseum avant le déblaiement (B.N)

Le premier pylône est fait en maçonnerie, de 15 m d'épaisseur ; il a 113 m de long et 50 m de haut. La porte principale est composée de plusieurs de ces pylônes. Devant cette porte colossale s'élèvent des obélisques couplés, dont la hauteur moyenne est de 22 m et qui sont taillés d'une seule pièce dans un granit rose. D'une finesse extraordinaire, ils se terminent par une petite pyramide : le pyramidion, dont la tête est fréquemment en or, parfois en cuivre.

Le savant Brugsch suppose que ces obélisques servaient également de paratonnerres.

A Edfou, on trouve, devant le sanctuaire, une couple d'obélisques dont chacun a 50 m de haut. Toutes les faces aussi lisses que du métal sont couvertes d'inscriptions qui nous indiquent que leur construction n'a demandé que sept mois de travail.

Les statues sont également énormes. Entre les colonnes, il y en avait des douzaines représentant Ramsès.

Pour donner une idée de leur importance, il suffit de dire que chacune d'elles a 14 mètres de hauteur et pèse 15 tonnes. Des allées longues de plusieurs kilomètres conduisent vers les temples, flanquées latéralement de sphinx à tête de bélier.

A Kom-Ombo, on a trouvé un temple entièrement creusé dans le rocher. Il a une salle de 50 m de long sur 50 m de large, ornée de statues énormes. De même, le temple de Dendera dit la puissance de celui qui l'a fait construire.

Ici, le sanctuaire avait été creusé dans la montagne, sur les ordres de la reine Hatshopsout, mariée avec son frère Thoutmosis III. Ce mariage incestueux se termina dans la haine.

On ne pouvait plus édifier de nouvelles pyramides, car le côté ouest de Thèbes, où se trouvait la nécropole, était limité par une chaîne de montagnes. Toutefois, les tombeaux des rois étaient restés des bâtiments fastueux. On les creusait maintenant dans les roches.

La Vallée des Rois, près de Thèbes, est une région désertique qui s'étend sur des kilomètres. Le terrain est montagneux et traversé par de nombreuses vallées, donc propre à la construction de tombeaux cachés.

L'usage voulait que les pharaons, au début de leur règne, fissent commencer la construction de leur tombeau. Les architectes creusaient d'abord un long tunnel dans la montagne, qui débutait par un couloir de 20 m de long. Plus loin il y avait tout un système de chambres spacieuses, comprenant des chambres de trésors, des chambres de ravitaillement, et enfin la chambre sépulcrale. Ainsi le tombeau d'un roi comprenait six à huit chambres.

Le premier roi qui avait rompu avec cette tradition se nommait Thoutmosis Ier (XVIIIe dynastie). Son tombeau ne comprenait plus, à la fois, la chambre sépulcrale et le temple. L'architecte Incni, qui avait construit un temple visible de loin et à 2 km de distance des collines, avait gardé secrète la construction de ce tombeau. Il y avait ensuite fait inscrire ces mots : « Moi seul ai surveillé la construction du tombeau de Sa Majesté ; personne ne le savait ; personne n'en entendit jamais parler. »

Cent cinquante esclaves au moins avaient été occupés à sa construction, mais ces pauvres bougres avaient été complètement isolés du monde pendant de longues années et, lorsque le tombeau fut achevé, ils furent tous tués.

Voilà à peu de chose près les principes de base des constructions de nombreux tombeaux de rois, de princes, de princesses et de notables, de prêtres et de prêtresses dans la Vallée des Rois.

Lorsque le roi était mort, les chambres étaient remplies d'œuvres d'art, d'objets utiles, de statuettes, de statues, de bijoux d'or et d'argent, de vêtements, d'armes et de nombreux récipients qui contenaient des victuailles de toutes sortes.

L'enterrement même se déroulait secrètement, les chambres étaient ensuite hermétiquement fermées et le sceau du roi une fois apposé dans le mortier frais, on recouvrait l'entrée et le couloir avec de la terre jusqu'à ce que le terrain eût repris sa forme primitive. Ainsi (d'ailleurs), puisque ceux qui avaient construit le tombeau avaient été tués, le roi pouvait reposer en paix pour l'éternité. Néanmoins avant la cérémonie intime, des cérémonies officielles se déroulaient au palais du roi.

Malgré ces incroyables mesures de prudence et de sécurité, on trouva, en 1807, vingt-sept tombeaux qui avaient été ouverts et entièrement pillés. Ainsi que les hiéroglyphes nous l'apprennent, ces vols avaient déjà eu lieu dans l'Antiquité. Quoique la piété fût certainement vive à l'époque, la ruse et le vol n'en existaient pas moins, on n'a jamais retrouvé les restes d'objets volés.

Dans l'Antiquité, les pillards pris en flagrant délit étaient très sévèrement punis. Par contre, les papyrus relatent que certains procès furent camouflés pour éviter les scandales, car les voleurs étaient couverts par de hautes personnalités.

La corruption, la concussion et tant d'autres délits étaient donc déjà de mode dans l'Antiquité. Le professeur Brugsch réussit même à trouver dans un papyrus le nom des personnalités mêlées à ces scandales. A côté de quelques prêtres, il y avait M. Peser, adjoint au maire de la ville de Thèbes, et M. Pewero, administrateur de la Nécropole de Thèbes. Ce dernier avait étouffé une de ces affaires et couvert de son nom la corruption et les vols. Quelques années plus tard, on avait attrapé une bande de cinq personnes prises en flagrant délit de vol, le menuisier Iramoun, le marbrier Hapi, le porteur d'eau Kenwese, le paysan Amenheb et l'esclave Ehenufer. Incarcérés, on les avait laissés sans boire et sans manger. On leur avait lacéré la plante des pieds et la paume des mains, jusqu'à ce que la peau se déchire et que le sang coule. Ainsi mûrs pour signer la déclaration suivante, ils avouaient :

« Nous ouvrîmes les cercueils et trouvâmes les momies vénérées de Sa Majesté et de son épouse, couvertes d'un grand nombre d'amulettes et de bijoux en or ; la tête du roi portait un masque d'or. Nous arrachâmes de l'or de la momie du dieu, ainsi que de l'or de la reine et en fîmes cinq parts. »

Le tribunal les condamna à la peine capitale.

Il est intéressant de savoir que, dans l'Antiquité déjà, on pendait les petits et on relâchait les grands ! Lorsque l'écrivain grec Strabon arriva en Egypte, il trouva, comme il nous le raconte, quarante tombeaux de rois déjà violés. D'ailleurs, aujourd'hui encore, on recueille, dans certains tombeaux, des écrits gravés en langues grecque et latine.

Le papyrus d'Abott et le papyrus Asmherst parlent en détail d'un procès : un artisan qui travaille le cuivre en est l'accusé. Afin de procéder à une reconstitution du vol sur place, on le mena, les yeux bandés, dans la tombe du roi Sechmere où l'on défit son bandeau. Il dut alors raconter comment il avait commis le vol et ce qu'il avait fait de son butin. Le papyrus dit encore que le voleur fut sévèrement interrogé, qu'on le battit, attaché à un poteau et qu'on menaça de lui trancher nez et oreilles s'il ne disait la vérité. Il avait fini par tout raconter et il livra ses camarades dont on fit également le procès.

Tout abus appelle une réaction, c'est là une loi de

la nature. Ainsi est-il normal que ce somptueux culte des morts des Egyptiens, cette existence des humains consacrée à la mort en viennent à se heurter à une violente réaction. L'or enfermé dans la terre ne pouvait protéger le repos d'un mort.

Vers 1880, plusieurs savants découvrirent chez les antiquaires des statuettes et même un cercueil contenant une momie, mais il fut impossible de découvrir l'origine des objets. Ce ne fut qu'en juillet 1881 que la solution du problème fut trouvée par l'Américain Baton. Il n'était pas égyptologue, mais en sa qualité de collectionneur d'antiquités, il s'y connaissait. Un jour, dans un des faubourgs de Thèbes, il acheta un papyrus d'une rare beauté. Lorsqu'il rentra en Amérique, il passa l'objet précieux en fraude, et arrivé chez lui, consulta un spécialiste. Celui-ci dit que le papyrus était d'époque, très rare, et que ce qu'il contenait apporterait même certains détails nouveaux sur les temps anciens.

Le spécialiste écrivit immédiatement au professeur Gaston Maspéro, directeur du Musée du Caire, que cette nouvelle réjouit, car le Musée venait d'égarer un document de grande importance. Au cours des années suivantes, on trouva fréquemment au marché noir de l'égyptologie des trésors de ce genre, dont personne n'arrivait à déceler la provenance. Les enquêtes se heurtaient au « Grand Inconnu ».

Maspéro se trouvait très affligé par cet état de choses, parce que tous ces objets dataient de la XXIe dynastie, dont la science ignorait pratiquement tout. Sur ce marché noir, on avait trouvé d'ailleurs d'autres objets précieux qui provenaient sans doute du même tombeau. Les archéologues essayaient de savoir qui avait découvert ce tombeau et son emplacement. S'agissait-il de pillages récents ? Ces énigmes demandaient une action énergique et comme la police égyptienne n'y parvenait pas, Maspéro agit pour son propre compte. Un jour, il envoya à Thèbes un de ses assistants qui, dissimulant sa qualité d'archéologue, se fit passer pour un riche amateur. Il descendit dans un hôtel cossu et allant chez le marchand qui avait vendu le papyrus en question, il lui acheta plusieurs petits objets anciens. Il le paya bien, et lui donna par-dessus le marché un gros pourboire. Cet étranger excita bientôt la curiosité de tous les marchands qui lui firent de multiples offres.

Quelques jours plus tard, un négociant lui offrit une statue. Bien qu'il en eût reconnu tout de suite la grande valeur (elle avait 3000 ans) et que l'inscription marquât sa provenance : un tombeau de la IIe dynastie, il n'en laissa rien paraître, se montra peu intéressé par la marchandise et fit même quelques critiques sur l'objet.

Après avoir longuement marchandé, très hésitant, il se décida à l'acheter tout en faisant remarquer qu'il acquerrait plus volontiers des objets de plus de valeur.

Le jour même, le marchand le mit en rapport avec un riche Arabe, Abd el-Rassul, qui lui apporta quelques autres objets importants. Mis en confiance, l'Arabe offrit des antiquités de la plus grande valeur et, entre autres, une momie de la XXIe dynastie. La preuve était faite. L'Arabe fut arrêté.

Le professeur Maspéro et le sous-directeur Emile Brugsch interrogèrent en vain Mohamed Rassul qui nia toute espèce d'activités telles que fouilles clandestines, commerce d'antiquités qui étaient réprimés par la loi. Les preuves évidentes de ses méfaits manquaient. Bien que des cicatrices fussent visibles sur ses pieds et ses mains, souvenirs des questions qui lui avaient été posées avec quelque énergie, on le relâcha.

Ce fut très pénible pour l'assistant du professeur Maspéro, car il avait télégraphié l'arrestation du pillard et les journaux en avaient parlé. Maintenant, il fallait démentir.

Malgré tout, l'assistant était persuadé de la culpabilité de Rassul et il supplia le juge d'instruction d'insister. Celui-ci n'en fit rien et conseilla d'attendre. Quelques jours après, l'assistant s'alita avec une forte fièvre. C'est alors qu'un fait inattendu se produisit. Rassul avait eu des scrupules de conscience : se rendant chez le juge, il fit des aveux spontanés... Après plusieurs interrogatoires, on apprit que le village de Journah, le pays de Rassul, se composait de pillards qui, de père en fils, s'étaient transmis le métier de fouilleurs de tombeaux. Tous vivaient dans une certaine aisance procurée par la vente organisée des trésors qui provenaient d'une source inconnue, car seul Rassul et quelques autres la connaissaient et le secret était tenu par un serment fait sur la « Barbe du Prophète ». L'enjeu était d'un tel intérêt qu'on promit à Rassul l'impunité et une récompense, s'il passait dans la voie des aveux. L'assistant étant, hélas, toujours malade, le Musée dut envoyer à nouveau Brugsch à Thèbes. Il y reçut des mains de Rassul, effrayé et méfiant, un paquet contenant quatre canopes de la reine Ahmes Nefertori et trois rouleaux de papyrus provenant des tombes d'autres reines. C'était un bon début, après quoi Rassul mena le sous-directeur jusqu'à Deir el-Bahri où, par une chaleur torride, lui fut désigné le lieu de la sépulture.

Ce fut une révélation du plus haut intérêt. Brugsch

Vue de la vallée des tombeaux, vers 1841 (B.N., Est).

arriva, conduit par son étrange guide, dans la Vallée des Rois. L'entrée du tombeau se trouvait dans les rochers et il fallait descendre dans un puits vertical de 11 m, pour atteindre un couloir de 60 m, accédant à une chambre spacieuse de 8 m². De là on rejoignait un autre couloir de 80 m de long. Cette installation était construite rudimentairement et d'une façon étrange. Pour qui avait-elle été faite et dans quel but ? Lorsque Brugsch et son accompagnateur atteignirent à la lueur des bougies les catacombes obscures, ils ne purent s'empêcher d'être très émus, car dans le couloir même, ils virent plusieurs statues.

Par terre, il y avait de petites caisses remplies de statues et de vases ; soudain et n'en croyant pas ses yeux, Brugsch se trouva devant un amas de trésors dignes des *Mille et Une Nuits* : dans une grande chambre étaient entassés les objets les plus précieux, des cercueils, des momies et des pierres tombales.

Au passage, il déchiffra le noms d'Aménophis Ier, Thoutmosis II, Amosis Ier, Thoutmosis III, Téti Ier, et celui du plus grand pharaon de l'Egypte, Ramsès II.

Brugsch croyait rêver. Comment était-il arrivé dans cette illustre assemblée de rois, dont les savants jusqu'alors ne connaissaient que les noms ? Il y passa deux heures, sans se rendre compte du manque d'oxygène et de la chaleur étouffante, tant il était heureux.

Le lendemain, il amena trois cents Arabes, qui, surveillés par un fort cordon de police, vidèrent le tombeau. Par trente-cinq degrés de chaleur, ce travail ne fut pas une partie de plaisir ! Mais la récompense fut royale, car on mit au jour trente-deux cercueils, dont vingt-quatre contenant des momies de rois, de reines, de hauts dignitaires et de grands prêtres. Il y avait aussi de nombreuses momies, en dehors des cercueils. Des caisses pleines de statuettes, de vases en faïence, de corbeilles remplies de fruits, de viande de bœuf embaumée, de coupes en verre de couleur, des bandelettes de lin et une multitude d'autres objets. Dans un cercueil, il trouva même la momie d'une gazelle, animal préféré de la princesse. Certains cercueils étaient si lourds qu'il fallut huit hommes pour les porter. On se rendit compte plus tard qu'il s'agissait de doubles cercueils, mais il n'y avait pas de sarcophages.

Le professeur Brugsch répartit ces trésors en deux groupes : les cercueils et les momies provenant des XVIIe, XVIIIe et XIXe dynasties.

Voici les noms, avec les rangs et les titres des personnages, ainsi que Brugsch les a traduits et mentionnés :

1° Le cercueil et la momie du roi Soknunra.

2° Le cercueil de Mme Rasi, nourrice de la reine Nofritari, mais dans le cercueil, sa momie était remplacée par celle de la reine Ansri.

3° Le cercueil et la momie du roi Amosis Ier.

4° Un cercueil géant de 3,17 m de long, qui contenait la momie de la reine Nofritari, l'épouse d'Amosis Ier.

5° Le cercueil et la momie du roi Aménophis Ier.

6° Le cercueil et la momie du prince Siamun, le fils d'Amosis Ier.

7° Le cercueil (sans momie) de la princesse Sitamoun.

8° Le cercueil du majordome de la reine Sonou.

9° Le cercueil et la momie de la princesse Sitka.

10° Le cercueil et la momie de la reine Honttimbou, fille d'Aménophis Ier.

11° Le cercueil (sans momie) de la princesse Mashonttimbou.

12° Le cercueil de Thoutmosis Ier avec la momie du roi Pinotem.

13° Le cercueil et la momie de Thoutmosis II.

14° Une petite boîte en bois incrusté d'ivoire qui portait le nom de la reine Hatshepsout.

15° Le cercueil du roi Ramsès Ier, contenant une momie d'origine inconnue.

16° Le cercueil et la momie, cassée en trois morceaux, de Thoutmosis III.

17° Le cercueil et la momie du roi Séti Ier.

18° Le cercueil et la momie de Ramsès II.

A côté de ces cercueils et de ces momies, il y avait ceux de hauts fonctionnaires, ainsi que beaucoup de petits objets provenant de la même période.

Le deuxième groupe, mentionné par Brugsch, faisait partie de la XXIᵉ dynastie. Cette période englobait les prêtres-rois, contemporains des rois David et Salomon de l'histoire biblique :

19° Le cercueil et la momie de la reine Notémit.

20° Le cercueil et la momie du roi Pinotem.

21° Le cercueil et la momie du grand prêtre et général Pinotem.

22° Le cercueil et la momie de la reine Tina-Hather-Honttaui.

23° Le cercueil et la momie du grand prêtre et général Masahirti.

24° Le cercueil et la momie de la reine Makéra et de sa fille mort-née.

25° Le cercueil et la momie de la reine Isemheb.

26° Le cercueil et la momie de la chanteuse Tanhiri.

27° Le cercueil (sans momie) du juge et scribe Nibsoni.

28° Le cercueil et la momie de la princesse Nsi-Chonsou.

29° Le triple cercueil avec la momie du prince Zotptahefankh.

30° Trois cercueils inconnus, sans momies.

On donna à Mohamed Rassul 500 000 francs pour avoir dévoilé la cachette.

Lorsque Brugsch quitta Louqsor, à bord d'un bateau, avec tous ces trésors, pour se rendre au Caire, des femmes fellahs le suivirent à pas lents, cheveux en désordre et poussant des plaintes, comme dans l'Antiquité, lors des funérailles. Le savant se retourna décontenancé, avec la sensation qu'il était lui aussi une sorte de pillard. N'avait-il pas violé le repos de ces momies, n'avait-il pas sorti de leur ombre sacrée, pour les exposer à la lumière du soleil, ceux qui si pieusement avaient été ensevelis, il y avait six mille ans ? On avait retrouvé de nombreux pharaons tous desséchés à l'extrême et cassants comme du verre. Beaucoup de momies étaient abîmées, pas une seule n'avait de bijoux. Thoutmosis était cassé en trois morceaux, son linceul de bandelettes était déchiré sur la poitrine, car on avait cherché de l'or dans ses plis. Quelques momies présentaient des traces d'interventions chirurgicales, le visage de Ramsès V était recouvert de pustules, ce qui prouvait qu'il était mort de la variole. Le roi Spitah avait un pied-bot, le roi Senkenjen-Ré-Tao portait des traces qui laissaient supposer qu'il était mort de mort violente : nous savons qu'il a trouvé la mort dans un combat contre les Hyksos. Quelques hommes avaient le phallus enveloppé à part de bandelettes de lin...

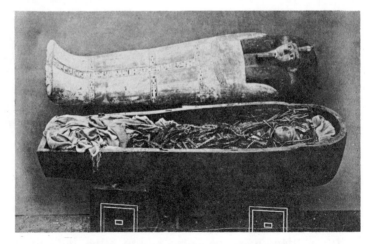

*Cercueil d'Amenhoptou I*ᵉʳ *(B.N., Est).*

Toutes ces momies avaient été jadis déposées dans les tombeaux, que déjà le Grec Strabon avait trouvés vides. On en est maintenant sûr et l'on sait aussi pourquoi ces cercueils ont été enlevés et cachés ailleurs, grâce à des explications écrites trouvées près des momies.

Vers l'an 1150 av. J.-C., à l'époque de la XXᵉ dynastie, l'Egypte était en pleine décadence. Il ne restait pas grand-chose de son ancienne puissance et la misère y régnait.

Pendant de telles périodes, l'autorité de l'Etat se relâche toujours et les voleurs et les pillards en profitent. Sous le règne des derniers pharaons Ramsès, époque qu'on appelle la période des Ramessides, le désordre fut à son comble. Les entrées des tombeaux furent découvertes par des bandes organisées, qui pillaient et ne respectaient même pas les cadavres. On ouvrit les momies, on les brisa et on les dépouilla de leurs bijoux.

Il est certain que les voleurs eurent leurs belles périodes sous le règne des prêtres-rois. De temps en temps, des commissions royales étaient envoyées sur les lieux pour restaurer les tombeaux ; c'est ce que nous apprenons par certaines inscriptions. Mais on pense que les Anciens durent se résoudre à faire déménager les tombeaux, surtout ceux qui se trouvaient dans les endroits isolés. C'est pourquoi ils avaient déplacé leurs cercueils et leurs momies, pour les cacher dans des tombeaux plus modestes.

Par exemple, la momie de Ramsès II fut apportée dans le tombeau de son frère Séti Iᵉʳ. Lorsque celui-ci fut pillé, on la transporta de nouveau dans le tombeau de la reine Inithapu, jusqu'à ce qu'elle eût trouvé finalement, avec d'autres momies, un refuge dans le tombeau d'Aménophis Ier. Des prêtres fidèles ont gravé consciencieusement ces détails sur les momies mêmes. Malgré toutes les précautions prises, ces transports de tombeau en tombeau avaient été inutiles, car dès que la paix fut rétablie, les pillages recommencèrent. Ce petit jeu de cache-cache cessa enfin sous le règne du pharaon Héridor.

Ce qu'on pouvait encore sauver des momies fut caché dans un endroit que les voleurs ne devaient pas trouver. Non loin du temple Deir el-Bahri, la pierre de la montagne est très tendre, c'est pourquoi on y avait installé des tombeaux. On avait creusé le puits dont nous avons parlé ainsi que les chambres et les couloirs.

Les prêtres firent eux-mêmes, pendant la nuit et en grand secret, le déménagement des momies. Plus tard, Héridor et ses successeurs renoncèrent aux fastueux tombeaux et se firent enterrer d'une façon très simple dans cette cachette. Une deuxième cachette fut découverte en 1898. Les savants eurent l'idée de pratiquer de nouvelles recherches dans le tombeau d'Aménophis II, connu depuis longtemps ; ils y découvrirent une chambre dont les portes étaient murées. Elle contenait des momies de la XVIIIe et de la XIXe dynastie, parmi lesquelles le Quatrième Thoutmosis et son célèbre fils Aménophis III, qui avait régné depuis 1413 jusqu'en 1377 av. J.-C. En pleine prospérité, à l'époque, l'Empire égyptien s'étendait de l'Euphrate au pays nègre Rari, et à l'intérieur de l'Ethiopie.

Aménophis II, dont nous venons de parler, était ce pharaon que l'on avait trouvé en 1898 dans sa tombe et dans son sarcophage. Aussi laissa-t-on sa momie en paix, obéissant ainsi aux vœux de ceux qui faisaient appel au respect dû aux morts. Sur la momie se trouvaient des guirlandes de fleurs desséchées déposées par des mains pieuses, il y avait de cela 3400 ans. C'était tout ; on l'avait dépouillé de ses autres parures. Puis on posa une grille de fer devant l'entrée de la tombe qui fut confiée à des gardiens.

Pendant deux ans, il n'y eut rien à signaler, puis les gardiens annoncèrent qu'on les avait attaqués et qu'une bande armée avait pénétré dans la tombe. Le jeune Howard Carter, inspecteur des antiquités dans la région de Thèbes, s'en fut aussitôt sur les lieux et constata que l'on avait tiré le roi de son sarcophage et qu'il était couché sur le sol. On avait arraché les bandelettes sans endommager la momie. Ceci ne pouvait avoir été accompli que par des individus connaissant la question. Mais les intrus étaient sûrement déçus car l'or de la momie avait été emmené par leurs « collègues », il y avait de cela des millénaires... Cependant un petit modèle de bateau qui se trouvait dans l'une des antichambres avait été subtilisé.

Carter examina les serrures qui semblaient intactes, bien qu'elles fussent ouvertes. Tout ceci semblait indiquer que les gardiens étaient du complot. Carter mesura les empreintes de pas et un chien policier suivit leurs traces jusqu'à Kourna devant la maison où Rassul vivait depuis vingt ans. Les mesures des empreintes relevées concordaient avec celles des pieds de Rassul : le chat ne cesse jamais de chasser les souris. Cependant, faute de preuves suffisantes, l'adroit Rassul ne fut pas pris.

Au moins dix ans plus tard, les petits-fils de Rassul reprirent ces brigandages. Des bandes organisées se formèrent. Un jour, une de ces bandes découvrit une tombe contre le flanc d'une colline ; lorsqu'une autre « bande » l'apprit, elle s'en fut en expédition, armée de fusils, contre ceux qui avaient fait la trouvaille et les dispersa. L'archéologue Carter qui mit ordre à cette affaire raconte :

« J'armai mes ouvriers et m'en fus avec eux sur la crête de la colline de Kurna [1] qui mesure 300 m de hauteur. Lorsque, à minuit, nous eûmes atteint notre but, le chef de mon groupe nous montra l'extrémité d'une corde solidement attachée qui descendait le long d'une paroi verticale. Lorsque nous nous taisions, nous entendions les pillards travailler en dessous de nous. Je tranchai la corde qui tomba avec un sifflement, coupant pour les brigands toute possibilité d'évasion. Puis j'attachai à mon tour une corde que j'avais emmenée avec moi et me laissai glisser jusque dans le nid des brigands, ce qui, je l'avoue, n'était pas une distraction très agréable. Huit voleurs étaient à l'ouvrage et il y eut un instant assez « inconfortable ». Je les fis choisir entre la fuite à l'aide de ma corde ou un séjour prolongé dans le lieu de leurs rapines. Raisonnables, ils s'éloignèrent et je passai la fin de la nuit dans la tombe... »

Le courage de Carter mérite le respect. La tombe nouvellement découverte ne renfermait pas de trésors mais seulement un sarcophage de porphyre qui avait sans doute été destiné jadis à la reine Hatshepsout, dont le temple funèbre qui s'élève sur le versant opposé de la colline grandiose est encore digne d'attention. On avait eu l'intention, jadis, de creuser un passage reliant le temple à la tombe à travers le massif montagneux.

---

1. Ou Gournah.

Le village appelé Kurna, situé au milieu du champ funèbre de Thèbes, existait déjà dans l'Antiquité. Il devait abriter les artisans, les embaumeurs, les gardiens de la nécropole. Les fellahs qui habitent actuellement Kurna se disent volontiers les descendants des premiers habitants du village. Bien que mahométans, ils se plaisent volontiers à parodier leur ancienne religion. Le christianisme est passé sur eux jadis sans laisser de traces et leur islamisme n'est que superficiel. Le jour de la fête de leur saint local, Jousouff l'Agga, les hommes portent processionnellement sur leurs épaules le modèle d'une barque funèbre, des musiciens, des danseurs les accompagnent comme jadis au temps du dieu Amon. S'ils enterrent un des leurs, les femmes se lamentent comme au temps des pharaons sur un ton aigu, déchirant. Mais continuons. On trouva également Aménophis III, grand-père de Toutankhamon. Il dut être un roi vaillant. Nous apprenons par les inscriptions, que lors d'une chasse, il tua dans un troupeau de 170 taureaux sauvages, 75 bêtes et qu'il avait également terrassé 100 lions, crocodiles et hippopotames. Tout cela avec les armes primitives de l'époque ! Ce qu'il y a de plus intéressant, c'est que ce même Aménophis était le fils du roi apostat Echnaton, qui s'était converti de la religion Amon à la religion Aton, mais nous en parlerons plus tard. Les savants avaient enfin découvert sa momie. L'obligation de cacher les momies présentait sur le plan religieux pour les pieux Egyptiens un événement historique. Depuis des milliers d'années, ils avaient sacrifié aux tombeaux de leurs morts. Les moindres manquements à cette coutume avaient été considérés comme des péchés graves, surtout lorsqu'il s'agissait des rois, ces demi-dieux assis sur le trône Horus. Pour les Egyptiens, c'était à la fois une honte et le signe de l'impuissance de l'Etat. La découverte de ces deux cachettes est une sorte de Résurrection sans « jugement dernier ». Mais elle représente aussi pour l'archéologie une source d'intérêt puissant. Les momies sont des reliques dont les savants n'approchent qu'avec un infini respect.

*Masque de
Ramsès II
(B.N.).*

Cependant d'un autre point de vue, si l'on réfléchit à la politique de tous ces pharaons, à leur tyrannie et aux assassinats qu'ils ordonnèrent, le respect ne peut subsister longtemps devant les momies de Thoutmosis III, Ramsès le Grand et Sésostris. Devant ces cadavres si bien conservés, qui nous paraissent presque vivants, la notion de temps s'évanouit, et l'on a peine à croire que 3500 ans nous séparent de ces rois, dont nous pouvons toucher les corps de nos mains. L'histoire de l'Egypte devrait être une école d'humilité pour les chefs des peuples modernes, car ils pourraient y apprendre combien peu stables sont les signes extérieurs de la puissance. Nulle autre part, on ne peut mieux se rendre compte de la fragilité de l'existence humaine que là où des efforts gigantesques déployés pour la conservation des corps n'ont abouti qu'à la parodie d'un musée.

Le sable de Thèbes cache encore bien d'autres secrets. En 1951, le docteur Mahomet Gonheym a réussi à dessiner un plan de la ville qui était l'ancienne résidence des pharaons. Une partie des temples qui étaient enfouis à vingt mètres dans le sable ont déjà été mis au jour et d'autres vont suivre.

Le gouvernement égyptien a mis à la disposition du savant plus de mille fellahs, malgré cet effort il faut bien compter encore trente ans pour que la ville de Thèbes soit entièrement désensablée.

Les dernières fouilles de Gonheym ont fait avancer l'archéologie d'un grand pas, puisqu'il a trouvé entre autres une allée bordée de sphinx dont les sculptures ne représentent pas la tête d'un bélier, mais une tête d'homme.

Cette allée est construite en pierres rouges. Elle est longue de deux kilomètres et les sphinx d'albâtre clair bordent le « tapis rouge ». Aux temps anciens, elle était le symbole de la grandeur et de la magnificence de l'Egypte. C'est là que les puissants se rencontraient et que les fêtes religieuses se déroulaient. Là aussi, les rois lançaient des pièces d'or de leurs carrosses somptueux à la foule.

Tout près de là, Gonheym a découvert le tombeau du roi Montemhet de la XXVIᵉ dynastie, qui régnait en 525 av. J.-C. On a envisagé de reconstruire le centre de Thèbes, d'après les plans retrouvés et les idées de Gonheym. On recherche aussi le tombeau de Cléopâtre, et celui d'Alexandre est recherché depuis longtemps à Alexandrie qui porte son nom. Ce grand Macédonien mourut à Babylone en 323 av. J.-C. Son corps fut embaumé et enfermé dans un cercueil en or massif. On le garda pendant deux ans à Babylone où il fut l'objet de la plus grande vénération. On l'envoya ensuite en Egypte pour l'exposer dans l'oasis d'Amon, mais le roi Ptolémée lui fit construire un magnifique temple à Alexandrie et ordonna des funérailles royales. Plus tard, un descendant de Ptolémée vendit le cercueil d'or et le fit remplacer par un cercueil de verre. Ainsi la momie pouvait-elle être vue.

Des siècles plus tard, des généraux romains y accomplissaient leurs pèlerinages et venaient s'incliner devant le grand empereur. L'empereur Auguste y déposait des monceaux de fleurs et des couronnes. Septime Sévère fit emmurer le cercueil. A cette époque, la momie d'Alexandre avait 500 ans et était parfaitement conservée. Le fils de Septime Sévère, Marcus Aurélius Caracalla, le despote redouté qui avait fait exterminer la moitié de la population d'Alexandrie, ordonna la réouverture du tombeau et l'exposition du cercueil. Les Egyptiens craignaient un acte de profanation, mais lorsque l'empereur romain se trouva devant la dépouille mortelle du grand Alexandre, il enleva tous ses bijoux, les déposa sur le cercueil et ordonna de nouveau la fermeture du tombeau.

En 272 apr. J.-C., les quartiers environnant la ville d'Alexandrie furent détruits et on oublia le tombeau d'Alexandre.

Les hiéroglyphes nous donnent des détails sur la vie privée des pharaons. Nous avons appris que Thoutmosis était un grand sportif et qu'il avait terrassé beaucoup d'animaux sauvages. Ajoutons que, d'après les documents, un nombre incalculable de vierges furent les victimes de sa luxure... Son illustre épouse appréciait aussi la vie. Si ce qu'on racontait à l'époque de ses visites dans les tavernes et les maisons publiques de Thèbes est vrai, elle aurait pu être un grand professeur en la matière pour l'impératrice Catherine de Russie.

On ne connaît pas exactement les origines de la femme du pharaon. Etait-elle véritablement une princesse de Mitani ? On prétendait qu'elle vivait de la capture des oiseaux avant que le pharaon fît sa connaissance.

En ce temps-là comme en d'autres époques, les dames de la société et les courtisanes se maquillaient. Le corps était massé avec des crèmes précieuses, le visage était enduit ensuite de plusieurs couches de couleur, du rouge aux lèvres, de l'ocre sur les joues, du vert autour des yeux. Les ongles des mains et les doigts de pieds étaient teints de plusieurs tons. On a trouvé de magnifiques poudriers et de très beaux pots de crème. A une certaine époque, la mode exigeait que les femmes se fissent raser la tête. Elles s'affublaient alors de perruques dont on a retrouvé un grand nombre. De mauvaises langues prétendaient qu'une certaine princesse, dont on n'a pu déchiffrer le nom, se faisait souvent conduire dans le quartier réservé de la ville. Grâce au port de la perruque, elle y passait incognito, ce qui lui permettait de s'adonner à tous les vices et toutes les débauches.

Les riches Egyptiens menaient un très grand train

de vie. Avec leur or, ils pouvaient s'acheter des esclaves, des hommes et des femmes pour le travail, et des jeunes filles pour le plaisir.

Par contre, la population pauvre devait travailler durement et le moindre vol était puni de la peine capitale. Les dieux le voulaient ainsi et ils avaient édicté des lois sévères. Pour faire appliquer ces lois, on avait recours au fouet, symbole de la puissance. Ces cravaches étaient faites de cinq lanières de cuir, au bout desquelles étaient accrochées des boules métalliques.

Les prisonniers de guerre étaient transformés en esclaves. Pour les reconnaître, on leur faisait des incisions sur le nez et sur les oreilles ou on les marquait au fer sur le front.

La décadence de l'Egypte nous a été décrite par Hérodote. Dans son tome II, au chapitre XL il dit : « Et lorsqu'ils avaient jeûné, en l'honneur de la déesse Isis, ils lui offraient le sacrifice. Lorsque le sacrifice était consommé, tous se frappaient et lorsqu'ils s'étaient frappés, ils se faisaient servir un repas des restes du sacrifice. »

Au chapitre LXL il ajoute : « Lorsque la fête de la déesse Isis fut célébrée dans la ville de Bubaste, les hommes et les femmes se frappèrent pendant le sacrifice, mais je ne peux pas expliquer la vraie raison de tels gestes. Ce serait un péché, mais c'est un prêtre qui m'a confié ces secrets indicibles. »

Certains Egyptiens en font encore davantage, car ils se frappent réciproquement avec des couteaux. .Ce serait une erreur de croire que la cravache ne servait aux Egyptiens qu'à satisfaire leurs vices. Ils tenaient ce symbole, la cravache, en haute vénération, car elle était représentée parmi les armes du pharaon.

Reconnaissons que sans elle, l'Egypte, telle que nos archéologues l'ont découverte, n'aurait certainement jamais existé.

Ces mœurs firent que les pauvres devenaient de plus en plus misérables, les riches de plus en plus riches et les puissants de plus en plus puissants. Tous les grands, y compris les prêtres, qui dirigeaient tout, étaient satisfaits.

Il était tout naturel que ces abus menassent tôt ou tard à la révolte des classes pauvres.

Après la fin de la VIe dynastie, vers 2300 av. J.-C., une gigantesque révolution bouleversa l'Egypte entière. La vie des temples s'arrêta, la sainteté des rois n'exista plus. On mutila les effigies et les temples. L'ordre des choses fut renversé et l'ère de la prospérité prit fin. L'ennemi ne venait pas de l'extérieur, mais de l'intérieur. Il s'agissait d'une catastrophe sociale. La révolte n'était pas dirigée contre la seule caste des privilégiés, mais contre tous ceux qui avaient du bien ; non seulement on abolit les privilèges, mais toute notion de justice fut oubliée. Il n'y eut plus de tribunaux. Le vol et le pillage furent à l'ordre du jour. Ceux qui avaient été riches durent mendier et les pauvres occupèrent les palais. Le frère était contre son frère, et le père contre son fils. Le sang coulait dans le Nil.

Nous connaissons cet état de choses par les hiéroglyphes de nombreux temples, et les effigies mutilées des dieux en témoignent.

L'Egypte a connu tout ce que l'Occident devait vivre plus tard. Pourtant, d'après ce qu'on a rapporté, en général, de l'histoire égyptienne, nous sommes tentés de croire que le tempérament de ce peuple était plutôt modéré. Supposition plausible si l'on considère l'apathie de la population actuelle.

Le roi Phiops fut aussi un des monarques de la VI⁰ dynastie. Comme il vivait physiquement et moralement dans l'indifférence, ayant atteint l'âge de quatre-vingt-treize ans, le sage Ipu-wer parut devant lui et lui exposa la véritable situation du pays. Dans le papyrus, on lit :

« Il en est ainsi : le Nil est en crue et pourtant nul ne travaille les champs, car chacun dit : Savons-nous ce qui arrivera ? Car il est exact que personne ne rit plus ; le deuil règne sur ce pays... »

C'est sur un ton véhément que le peuple s'indignait du nombre de fonctionnaires qui emplissaient les administrations. Les serfs se révoltaient et s'émancipaient. On chassait les contrôleurs des grains, chacun se servait selon ses besoins. On déchirait et jetait à la rue les registres des lois de la justice. Les juges, les percepteurs d'impôts, les scribes étaient roués de coups.

Dans le même papyrus, il est dit : « Les nobles ne cessent d'élever leurs plaintes ; les humbles se réjouissent et disent : Nous chasserons les nobles d'entre nous, ils auront faim et travailleront aux moulins, leurs morts seront jetés dans le fleuve, on ne distinguera plus leurs fils, grands ou petits il leur faudra dire : Je voudrais être mort. On clouera au mur les enfants des nobles, leurs nourrissons seront jetés dans le désert... »

Et le même papyrus dit encore : « A présent, les esclaves parlent haut ; elles portent les bijoux des dames et celles-ci sont vêtues de loques. Elles mendient, souffrent de la faim et en sont réduites à voler la pitance des porcs. Des étrangers pénètrent dans le pays et s'y livrent à des vols ou à des assassinats. Des villes sont détruites, des tombes violées, et les momies des nobles en sont retirées. Ah ! si tout cela prenait fin, s'il se pouvait qu'aucun être humain ne naisse désormais ! »

Mais les plaintes continuent et, sur le même papyrus, il est dit encore que la colère du peuple s'est tournée contre le roi car le pays fut gouverné par des personnages dépourvus de sagesse :

« Voyez, les pauvres sont devenus riches et les nobles n'ont plus rien. Celui qui manquait de pain possède maintenant une grange et tout ce qu'elle contient a appartenu à un riche. Celui qui jadis n'employait pas une goutte d'huile pour oindre sa tête chauve possède maintenant des vases emplis de myrrhe. Les pauvres sont riches désormais et offrent l'encens aux dieux. Les riches sont exposés au vent et n'ont plus de lits. Mais voici le plus infâme de tout : celui qui jadis n'avait rien possédé a maintenant des trésors et le prince le loue, les conseillers eux-mêmes s'inclinent devant le nouveau riche. »

Ce sont-là les plaintes occasionnées par un profond bouleversement social ; suit l'expression d'un timide sentiment d'espoir : on espère pouvoir à nouveau révérer les dieux...

Le papyrus est interrompu en ce point ; il a été endommagé.

La masse était éduquée par les prêtres et habituée à une obéissance totale. Pourtant elle faisait parfois sauter ses liens et se révoltait contre ses tortionnaires.

CHAPITRE V

Esclave,
travaille ou meurs !

D E NOTRE TEMPS le pétrole et le charbon sont à la base de l'existence. C'étaient les esclaves et les pierres qui étaient à la base de celle des Egyptiens. Ceux qui n'étaient pas agriculteurs étaient occupés par la manutention des pierres. Tous les monuments érigés en l'honneur des divinités, de l'empire des morts et des empereurs étaient construits en pierre.

C'est pourquoi la pierre et les spécialistes qui la travaillaient avaient leurs propres divinités. Le sol de l'Egypte est riche en granit, en basalte et en albâtre, et on y trouve aussi des pierres précieuses et de l'or. Le savant Wilkinson a découvert une ancienne mine d'or avec les fondations de mille trois cent vingt cabanes et d'un temple. Pour les Egyptiens, le métal le plus précieux était l'or. Ils comparaient son éclat à celui des rayons du soleil. A Memphis, le dieu égyptien Ptah était le patron des orfèvres, on nommait son sanctuaire l'Orfèvrerie, et ses prêtres étaient appelés les « contremaîtres » du service des dieux.

Les montagnes de la mer Rouge et de l'Afrique occidentale contiennent de très anciens gisements aurifères. De même à Koptus, au bord du Nil, à Ombos et à Kush, en Ethiopie. Les fouilles pratiquées dans ces mines nous renseignent sur la manière dont elles furent exploitées. On a trouvé des grottes sacrées, des sanctuaires, des chapelles, des habitations d'ouvriers, des citernes, des puits artésiens, des meubles de granit et des rigoles qui servaient à laver le minerai concassé. Il est évident qu'une pareille agglomération comprenait des prisonniers de guerre, des esclaves et des criminels, dont l'existence devait manquer d'agrément ! L'écrivain classique Diodore nous l'a expliqué : les métaux précieux que l'Egypte ne produisait pas étaient acquis par voie d'échange, ou provenaient des butins de guerre.

Une stèle retrouvée établit qu'une expédition avait été organisée pour conquérir un pays lointain, afin d'y trouver du cuivre. Un grand prêtre, avec tout un état-major de fonctionnaires, d'officiers, de soldats et de 50 hommes d'armes l'avait devancée.

Brugsch nous fournit le reste de la traduction : « 500 guerriers, 200 sous-officiers, 800 marins étrangers, provenant d'Ean et 2 000 ouvriers des domaines du roi. » En outre, il y avait des spécialistes. Une autre expédition de 8 368 hommes était partie pour « Sinaï », afin de rapporter du cuivre.

Sinaï se trouve de l'autre côté du golfe de la mer Rouge : c'est pourquoi des marins participaient à cette expédition. Par contre, il n'y avait pas d'esclaves, car ils auraient peut-être déserté.

De nos jours, le visiteur qui traverse la vallée du Sinaï se trouve soudainement devant un grand bas-relief taillé dans la montagne. On y voit le pharaon, l'arme levée, prêt à casser la tête d'un prisonnier asiatique, à genoux devant lui.

Ce monument dédié à la gloire de la force brutale et des droits du vainqueur est certainement un message adressé aux Asiatiques pour les avertir que le pharaon était arrivé d'Egypte dans le but de prendre possession de leurs mines de cuivre et de turquoises... Toutes les carrières étaient la propriété des pharaons et des temples. Leur administrateur général était le prince de Thèbes, entouré d'un certain nombre de prêtres et de fonctionnaires. Lorsqu'une ville ou une province avait besoin de pierres pour construire un monument, le pharaon signait simplement un décret et des dizaines de milliers d'hommes étaient mobilisés. Les criminels eux-mêmes étaient incorporés dans les rangs des esclaves. D'ailleurs il était facile d'être catalogué criminel ! Il suffisait en effet de s'être révolté contre un prêtre ou contre un dogme de la religion, pour être condamné à la torture ou à la mort. Ces hommes devaient travailler dans des conditions effroyables. Les chantiers se trouvaient en plein désert, où il n'y avait aucun arbre ni buisson pour les protéger de la rage du soleil qui les desséchait et les brûlait. Dans l'Antiquité déjà, on employait l'expression de « prolétaire » en parlant des basses classes qui ne possédaient rien, qui ne savaient ni lire ni écrire et qui étaient exploitées au nom de la Divinité.

Les spécialistes, comme les maçons, les sculpteurs et autres, étaient évidemment mieux traités. Dans ces carrières, les citernes et les puits étaient indispensables, mais parfois il n'y en avait pas. Dans ces cas-là, des caravanes devaient transporter de l'eau. Cette eau non filtrée, amenée de très loin sous le soleil brûlant, était évidemment très malsaine. Les Egyptiens avaient construit des canaux desservant certaines carrières, pour transporter plus facilement les pierres taillées. Mais l'eau de ces canaux ne coulait pas, croupissait au soleil et devenait un réceptacle d'insectes et de vermine.

Innombrables furent ceux qui y moururent de paludisme, et le meilleur des remèdes était le fouet. Les médecins ou les sorciers étaient restés chez eux à la disposition des classes supérieures. La médecine disposait alors de connaissances assez sérieuses, mais très empiriques. Un « papyrus médical » nous énumère quarante-huit opérations chirurgicales. Son auteur nous dit que le « contrôle » des membres inférieurs est effectué par le cerveau. Les Européens n'ont fait cette remarque qu'il y a cent ans.

Un autre papyrus nous parle de l'appendicite, de l'anémie, des calculs de la vésicule biliaire et de la tuberculose. Mais il n'est pas question de la syphilis ni de la carie dentaire. Cette dernière est seulement mentionnée beaucoup plus tard, signe des progrès de la civilisation.

Dans le papyrus d'Ebers, quelques centaines de médicaments sont mentionnés, mais les médecins étaient rares et uniquement à la disposition des riches. La grande masse des pauvres se contentait des sorciers, dont les recettes étaient des plus primitives. Nous trouvons, par exemple, un remède contre les cheveux blancs : on conseillait d'utiliser une préparation à base de poils de veau noir.

Les médecins eux-mêmes étaient très attachés à la sorcellerie. Ils enseignaient, par exemple, que le diable a inventé neuf cent quatre-vingt-dix-neuf maladies, ils pratiquaient l'amputation et traitaient la cicatrisation avec des fers chauffés à blanc. Pour résister à de telles opérations, le patient était anesthésié avec un poison violent qui, souvent, lui faisait rendre l'âme.

D'après eux, beaucoup de maladies étaient voulues par les démons et le siège des démons était localisé dans la tête. Donc, quand les sorciers n'obtenaient pas le résultat, c'était aux chirurgiens de la tête d'intervenir. Avec des outils de pierre, ils ouvraient le crâne et enlevaient quelque chose... Celui qui survivait trois jours à l'opération pouvait se considérer comme guéri. Le médecin ainsi que le dieu Amon étaient largement récompensés.

Lorsqu'il s'agissait de traiter une haute personnalité, le médecin devait d'abord s'exercer sur un esclave. On anesthésiait celui-ci la tête fixée à un système spécial, ensuite le médecin procédait à la stérilisation. Son assistant et lui-même se lavaient soigneusement et désinfectaient les instruments par le feu. Après avoir rasé le crâne, le médecin ouvrait le cuir chevelu et s'il y avait une hémorragie, l'assistant l'arrêtait en brûlant les petits vaisseaux sanguins avec une tige de fer chauffée à blanc. Lorsque le crâne était ouvert, la véritable opération commençait. Mais, comme nous l'avons appris par les papyrus, il arrivait que le patient succombât sous l'anesthésie. Il fallait alors trouver une autre victime et faire un nouvel essai.

Les médecins ne traitaient pas les maladies cérébrales : elles étaient de la compétence des dieux. Par contre, il y avait des spécialistes des dents et des oreilles et des accouchements.

D'autres guérissaient en apposant les mains et tous se trouvaient sous la protection du dieu Imhotep, saint de Memphis.

Ainsi que nous l'apprend un papyrus conservé à l'Université de Leyde, la sorcellerie occupait une large place dans les connaissances médicales. Ce document a 3,14 m de long et 27 cm de large. La traduction du professeur Brugsch nous apprend que ce papyrus était destiné aux gnostiques. On y trouve des formules magiques et les remèdes employés par les sorciers. Le médecin traitant y est désigné comme une divinité, afin de pouvoir donner des ordres au Démon, il dit par exemple : « Je suis Horus, le frère de la déesse Isis, ce merveilleux garçon aimé par Isis et par son père Osiris d'Onnofer. »

Ainsi le médecin essayait-il de tromper les démons.

Toute cette sorcellerie exigeait un certain nombre d'instruments, de vases et de lampes.

« Lorsque tu as apporté une lampe propre, qui n'est pas remplie d'eau de gomme, remplis-la d'huile pure et suspens-la à un mur orienté vers l'est. Ensuite, installe devant elle un jeune garçon, vierge, et répète sept fois la formule magique. Réveille-le et demande-lui : « Qu'as-tu vu ? » S'il répond : « J'ai vu les dieux autour de la lampe », ceux-ci répondront à toutes tes questions. »

Telles étaient les recettes qu'indique le papyrus.

La seule maladie que les médecins et les sorciers ne pouvaient guérir était la faim, maladie typique des pauvres de l'Egypte. Il est dit dans la Bible (I Moïse, 41 : « Comme l'Egypte souffrait de la famine, le peuple demandait du pain au pharaon... »

La Bible nous parle de plusieurs périodes de famine. Nous trouvons, sur beaucoup d'images, des hommes à l'état squelettique. Aussi des épidémies comme le choléra, la peste et la petite vérole étaient fréquentes.

A ce moment-là, on fermait hermétiquement la carrière avec tous les hommes qui s'y trouvaient.

C'étaient les périodes grasses pour les hyènes et les vautours !

Lorsque, après des semaines, le soleil avait blanchi les squelettes et tué les microbes, l'exploitation pouvait reprendre.

Les méthodes employées dans les mines d'or n'étaient pas moins rudimentaires. Là, les prisonniers étaient enchaînés à deux ou à trois et travaillaient nuit et jour dans l'obscurité. Ils portaient des lampes à huile au front et on les stimulait à travailler, fouet en main. L'outillage était plus que primitif et le minerai aurifère était remonté au jour par des enfants qui le portaient aux vieillards et aux malades, ceux-ci le pulvérisaient. Le lavage final était exécuté par des esclaves de confiance. Ce système ne pouvait favoriser un ferment de révolte, car les surveillants étaient des barbares, esclaves eux aussi, qui ne parlaient pas l'égyptien. Un esclave contre un esclave, ce fut toujours un système infaillible.

Il dut toujours y avoir en Egypte des esclaves au nombre de plusieurs centaines de mille. On devenait esclave lorsqu'on était fait prisonnier, ou encore on l'était de naissance. Il existait également un commerce d'esclaves très florissant. Certains individus possédaient jusqu'à des milliers d'esclaves qu'ils louaient comme ouvriers.

Les esclaves domestiques avaient la vie meilleure que ceux-ci, parfois même assez douce. Il y avait des femmes qui choisissaient leurs amants parmi les esclaves de leur maison. En général, la condition d'esclave était dure. Sans l'esclavage, l'Egypte n'eût pas existé telle que nous la connaissons.

Des moyens draconiens étaient employés pour retirer des esclaves le maximum d'efforts physiques,

surtout lorsqu'il s'agissait de transporter des matériaux. De nos jours, celui qui contemple les gigantesques colonnes de granit, les statues, les sarcophages, les
obélisques se demande comment les anciens parvin-
rent à déplacer ces colonnes sans l'aide de machines
puissantes ou de rails sur de longues distances. A
Assouan, il existe des carrières qui en disent plus
long là-dessus que bien des livres.

Tombe de Horemheb, les prisonniers noirs, xviiie *dynastie.*
(Photographie Scala).

Pour tailler le sarcophage du pharaon Mentouhotep, une expédition de dix mille hommes fut dirigée
vers les carrières de Hammamât. Le dieu Min, protecteur des carrières avait été favorable à cette
expédition car il avait envoyé une gazelle qui, précé-
dant le convoi, s'était couchée, au moment où on
voulut la saisir, sur un grand bloc qui avait exacte-

ment la taille voulue. Ce miracle permit à l'expédition de faire du travail rapide et de revenir sans pertes au bout de vingt-cinq jours.

Nous trouvons des carrières à Assouan, qui nous en disent bien plus que beaucoup de documents. Sur place, on voit d'énormes blocs de granit, tels qu'ils avaient été détachés de la montagne par des esclaves, il y a des milliers d'années. On y voit même, à moitié sorti du rocher, un obélisque inachevé d'une longueur de 20 m et on peut nettement comprendre le système employé, pour tailler dans de telles masses, avec des outils de cuivre. On perçait des trous de 15 cm de profondeur dans le rocher, des morceaux de bois mouillés y étaient ensuite introduits. Lorsque le bois gonflait, une pression égale mais énorme était déclenchée. L'opération, renouvelée à plusieurs reprises, détachait la forme brute du monument désiré. Mais là n'est pas le seul secret de la construction ; bien d'autres restent mystérieux.

Comme le pays manquait de bois et qu'on n'avait pas la possibilité de construire des pistes avec des troncs d'arbres et des planches, les canaux et les routes en pierre étaient les seules voies possibles pour les transports de gros matériaux.

Le plus grand des canaux menait de Thèbes au bord du Nil vers la mer Rouge. Il avait une longueur de 80 km.

Lorsqu'on se rappelle la misère humaine qui a été à la base du percement du canal de Suez, on peut s'imaginer combien de souffrances ont dû subir ceux qui ont participé à cet autre percement qui traversait le désert.

Des milliers d'ouvriers moururent du choléra, en raison des mauvaises conditions d'hygiène.

Ce canal était suffisamment grand pour permettre à la flotte de la reine Cléopâtre de le traverser. Plus tard, il s'est ensablé.

Les plus grands blocs de granit ont été certainement transportés sur des routes solides en pierre, que le sable a dû recouvrir.

Les colosses de granit étaient poussés sur un genre de traîneau auquel étaient attelés des milliers d'ouvriers. Sur le bloc même, se tenait le chef de l'expédition, qui battait la mesure tout en frappant dans ses mains, et à chaque effort la charge bougeait de quelques centimètres. Le transport du monolithe de Saïs qui provenait des carrières d'Eléphantine exigea deux mille esclaves qui travaillèrent trois ans, et cette pierre était relativement petite.

Une fois, les ouvriers s'étaient révoltés et avaient tué un surveillant. Cent esclaves furent abattus, à titre de représailles. Une punition courante pour les petits délits était la *palmendara*. L'esclave devait tendre la main et son maître le frappait sur la paume avec un bâton, jusqu'à ce que la peau s'ouvrît et que le sang coulât. Sur des bas-reliefs, nous trouvons l'explication du transport d'un grand obélisque du Nil jusqu'à Alexandrie.

On avait construit d'abord un canal qui arrivait juste au-dessous de l'obélisque, de façon à ce que celui-ci restât suspendu tel un pont. Ensuite, on avait amené deux péniches chargées de pierres. Les pierres avaient été enlevées peu à peu, les péniches montaient dans l'eau et soulevaient l'obélisque. Comme on le voit, le temps et la main-d'œuvre ne jouaient aucun rôle. Mais il s'agit toujours de monuments relativement petits.

Et l'on n'a pas encore trouvé d'explications concernant le transport des nombreux blocs qui pesaient six cents tonnes et plus.

A Assouan, on extrayait des carrières tous les beaux blocs de granit qui sont mêlés de quartz, de feldspath rouge, ou parcourus de veines noires et luisantes de mica. Cependant, il semble qu'en ces lieux des événements politiques graves aient brusquement arrêté toute activité, car on y voit encore des blocs à demi dégrossis dans l'intention d'y tailler des statues ou des sarcophages ; ils sont restés à l'endroit même où le granit fut détaché de la carrière.

En 1836, les Français ont amené l'obélisque de Louqsor jusqu'en France. Tout le pays fut très fier de l'architecte Lebas qui, grâce aux moyens modernes, avait pu transporter une colonne de 250 tonnes sur une si grande distance. Il lui avait même fallu percer une montagne. Lorsque l'obélisque fut érigé sur la place de la Concorde à Paris, on inscrivit sur le socle le récit de ce transport difficile.

Pour les Egyptiens, ce genre d'effort était courant, puisqu'on ne trouve pas d'inscriptions à ce sujet sur les monuments ! Pourtant tout ce qui leur paraissait important avait été gravé sur la pierre.

La situation matérielle des classes moyennes n'était pas brillante. Leurs cabanes de terre glaise se serraient auprès des murs des temples et des palais. C'était des zones sans lumière et sans air. Les hommes qui vivaient dans les grandes propriétés du Nil étaient un peu plus libres, mais leur salaire était maigre et les impôts très élevés.

Les hyéroglyphes nous apprennent que les fonctionnaires, très corruptibles, exploitaient souvent leurs administrés. Malgré l'immense contraste entre les classes, certains esclaves pouvaient s'élever et deve-

Karnak, obélisque de Thoutmès (B.N.).

nir artisans, artistes ou même architectes, et quelques-uns sont parvenus à de hautes fonctions.

A travers les milliers d'années de la vie égyptienne, la condition humaine ne fut évidemment pas toujours la même. Les périodes dures alternèrent avec les périodes de bonheur. Mais, en moyenne, il y eut davantage de périodes dures, car, chaque fois que l'Egypte était en guerre — et les guerres étaient fréquentes — le peuple souffrait. Seuls, quelques-uns des pharaons ont régné sur de grandes périodes de paix. Mais Thoutmosis III, par exemple, dans la trente-huitième année de son règne, en était à sa dix-septième guerre.

Pendant plus d'un siècle, pour ne citer qu'un exemple, l'Egypte connut une terrible anarchie au cours d'une invasion asiatique. Puis le pouvoir passa à un prince gouvernant une province. Celui-ci régnait à Hermonthis [1], non loin d'une ville provinciale que les Grecs devaient plus tard appeler Thèbes. C'est en ce lieu, avec le pharaon Mentouhotep, que commença la XIe dynastie et avec elle l'empire moyen (2100-1700 av. J.-C.). Ce déplacement du pouvoir politique du nord au sud ne s'accomplit cependant pas instantanément. Il y eut de nombreuses luttes qui opposèrent des princes entre eux, des castes de prêtres à d'autres castes ecclésiastiques ; les guerres fratricides se succédèrent.

Aménophis Ier déplaça sa résidence jusqu'à un recoin perdu appelé Itjowe, où il lui était possible de dominer plus aisément les princes des provinces du Nord. Ce roi, fondateur de la XIIe dynastie (1991 av.

---

1. Ou Erment.

J.-C.), fut l'un des plus grands de son temps. Dans une inscription traduite par Breastead, il est dit :

« Il réorganisa le pays qu'il avait trouvé ravagé. Il rendit à chaque ville ce qu'une autre ville lui avait pris et les amena à respecter réciproquement leurs frontières en faisant poser des bornes d'après les mensurations célestes, de même il répartit les eaux selon les documents anciens, car il aimait la justice. »

Le moyen Empire fut une époque féodale, mais les rois comme Amenemhat Ier, Sésostris II et III n'exerçaient pas eux-mêmes le pouvoir ; ils régnaient par le moyen des gouverneurs qui procuraient aussi des soldats au pharaon : la garde de Sa Majesté. Il y eut en ce temps-là de nombreuses expéditions guerrières ; Sésostris Ier fit la guerre jusqu'au-delà de la deuxième cataracte. Amenemhat II rouvrit, par une guerre, les mines d'or de Sinaï et Sésostris II fit ouvrit un large passage dans la cataracte du Nil, afin que ses galères de guerre puissent remonter le fleuve. Il pénétra jusqu'en Syrie et ce fut le début d'une période de conquêtes territoriales.

Le roi Kamose se battit contre les Hyksos. Le roi Ahmose poursuivit victorieusement cette lutte. En ce temps vivait également un amiral du même nom. Nous citons quelques lignes de son inscription funèbre :

« Mon père était officier à Elkab ; je devins officier sur le navire appelé *Buffle*. Je me montrai vaillant et je reçus l'or du combattant valeureux. Puis je fus nommé dans la flotte du Nord sur le navire *Eclat de Memphis*. Lorsque je me battis à Anarys, je ramenai comme trophée la main d'un guerrier et à nouveau, je reçus de l'or. J'ai reçu sept fois de l'or en récompense de mon courage ainsi que des chaînes de cou et des lions... »

Dans Homère (*Iliade,* 15), le lion personnifie le courage. L'inscription dit encore que la guerre fut poursuivie en Palestine et en Nubie : « Enfin je suis devenu vieux et je me retire dans le tombeau que je me suis fait construire ! »

Ce simple compte rendu de l'existence d'un amiral dont nous donnons un abrégé est une bribe de l'histoire du monde, car les combats dont il est parlé précédèrent des luttes bien plus sérieuses qu'eut à livrer la XVIIIe dynastie. Tous furent livrés en l'honneur de la divinité, prétendent les inscriptions ; toutes les guerres rapportaient des tributs : de l'or, des esclaves.

Sakkara, décoration architecturale d'un tombeau (B.N.).

C'est à cette époque que l'Egypte commença la création de son empire colonial en employant les mêmes méthodes que celles des peuples militaires et chrétiens de l'Occident des époques modernes. L'égyptologue Breastead disait : « Les Egyptiens étaient une nation de chefs, c'étaient les Anglais de l'Antiquité. Ils firent la conquête de nombreux pays, les soumirent et exploitèrent leurs peuples. Le commerce et la flotte égyptienne eurent une floraison magnifique qui apporta la richesse au pays du Nil. Ce fut l'époque où l'on élabora le plan d'un chemin d'eau entre le Nil et la mer Rouge. »

Aristote et Pline racontent que Sésostris Ier fit creuser un canal. Puis il lui vint à l'esprit que le niveau de la mer Rouge pouvait être plus élevé que celui du Nil, aussi des travaux furent-ils suspendus afin d'éviter que l'eau de mer salée ne vienne se mêler aux eaux du Nil. Cependant, le canal fut tout de même achevé, car nous avons de nombreux témoignages d'un commerce actif par bateaux entre l'Egypte, les pays asiatiques et africains, en particulier avec le Pont, ce « pays de l'encens » auquel il est sans cesse fait allusion. Ce canal existait déjà au temps de Ramsès II ; par la suite, il s'ensabla.

Dans la bibliothèque historique de Diodore (I, 33) mais plus encore dans Hérodote (II, 112), il est parlé abondamment d'un second canal qui fut creusé beaucoup plus tard, sous le règne de Néchao. « Celui-ci a la longueur de quatre jours de navigation et il est si large que deux navires, mus par trois paires de rames, peuvent y avancer de front... » Cependant il est encore bien plus long parce qu'il dessine plus de méandres. Lors du creusement de ce canal, au temps de Néchao, 120 000 Egyptiens périrent. Ce canal qui courait à travers le désert s'ensabla également mais, pendant la bataille d'Actium (31 av. J.-C.), il existait encore et permit à la flotte de Cléopâtre de s'enfuir vers la mer Rouge.

De 1859 à 1869, on creusa le canal de Suez, auquel travaillaient constamment 25 000 Arabes. Bien que journellement 1 600 dromadaires fussent chargés du transport de l'eau douce, le climat meurtrier du désert n'en tua pas moins de nombreux ouvriers.

Les raisons des guerres étaient les mêmes qu'aujourd'hui. Parfois les Egyptiens pénétraient en Ethiopie, parce qu'il y avait de l'or, puis ils allaient en Palestine et en Syrie, à cause des carrières, et très souvent c'étaient des querelles avec les Arabes.

L'Egypte nous a donné le premier exemple de formation d'un empire. Elle nous a appris comment faire des échanges internationaux et comment opprimer les peuples des colonies.

La Nubie, par exemple, sous le règne des vice-rois, devait régulièrement fournir de l'or, des esclaves nègres, du bétail, des pierres, du bois d'ébène, de l'ivoire et du blé.

Lorsque Thoutmosis revint en vainqueur de l'Euphrate, il fit ériger les obélisques que nous pouvons admirer aujourd'hui à Constantinople, à Rome, à Londres et à New York.

Ces monuments étaient destinés à faire oublier au peuple de Thèbes que celui qui les avait érigés était prêtre d'origine, bien que de sang royal. Sur la plupart de ces œuvres d'art, on trouve des inscriptions qui donnent l'importance du butin et la part que le dieu Amon en avait reçue. Des plantes exotiques, provenant d'Asie, furent plantées dans les jardins du temple d'Amon. Les ambassadeurs de tous les pays se présentaient à la cour de Thèbes.

Les bateaux phéniciens apportaient des tissus précieux et des vases d'or, et les îles de Chypre et de Crète envoyaient des œuvres d'art de grande valeur, chars magnifiques en bois d'ébène, des chevaux de race et surtout des esclaves ; les meilleurs crus des vignes asiatiques allaient vers le pays des pharaons.

Les redevances que les autres pays devaient payer en or et argent étaient énormes. Les inscriptions nous disent que le trésor avait effectué une fois un versement de 4 490 kg d'or pur. A l'époque, cette somme était énorme et il ne s'agissait là que d'un seul versement !

Sous le règne d'Aménophis, les hiéroglyphes nous apprennent que la Palestine et la Syrie étaient devenues des colonies égyptiennes.

Nous savons aussi que pendant le règne de ce roi, une des colonies s'était révoltée et qu'Aménophis avait réprimé victorieusement ce mouvement. Il rentra à Thèbes, en faisant chasser devant sa voiture les princes et leurs familles et cinq cents personnalités avec leurs voitures et leurs chevaux. En plus, un butin de 50 000 kg de cuivre et 830 kg d'or avait été exigé des vaincus.

Entouré de sept rois ennemis enchaînés, il fut reçu triomphalement par la foule. Comme « réjouissance », en l'honneur de la victoire, on pendit les rois par les pieds. A ce moment, Aménophis s'écria : « Je ne veux pas que vous mourriez ainsi. » Et il prit son glaive et leur coupa la tête. Durant son règne qui dura soixante-cinq ans, ce pharaon avait fait nombre de guerres et aimé le luxe et la richesse.

Dans un hymne à la divinité, il est dit dans le temple d'Aménophis : « Israël a été rendue semblable à la terre nue et sa postérité est anéantie ! » C'est là le texte égyptien le plus ancien mentionnant Israël. Cet Aménophis, qui fut le grand-père de Toutankhamon, fit également de nombreuses guerres et mena une vie de luxe et de plaisirs. Il régna soixante-quatre ans.

Le pharaon Ramsès II, lui, avait régné soixante-cinq ans et avait fait vingt guerres. Il avait légué 107 000 esclaves et d'importantes terres aux temples. Les prêtres avaient reçu 5 000 bêtes à cornes et s'étaient vu accorder le droit de prélever des impôts sur 169 villes.

Par un autre document, nous apprenons la prière que Ramsès II adressa à Amon, après avoir gagné une bataille : « J'ai retrouvé mon cœur, il se gonfle de joie, tout ce que je désire se réalise, je suis comme le dieu de la guerre, Mont, je frappe à droite et je frappe à gauche, je suis comme le dieu Baal lorsqu'il est en fureur... »

Les vaincus s'humiliaient et baisaient la terre devant lui. Mais le roi vaincu demande sa grâce dans une lettre : « Est-ce que tu juges bon de tuer tes esclaves ? Hier tu en as exterminé des milliers et aujourd'hui tu ne nous laisses plus d'héritiers. Ne sois pas sévère avec nous, laisse-nous respirer. »

Brugsh nous rapporte des faits analogues sur Ramsès II. Lui aussi avait fait de grands dons aux temples : des 113 433 esclaves reçus en cadeau, il en avait cédé 86 486. Il avait donné aux prêtres 32 000 kg d'or et il leur offrait chaque année 185 000 sacs de blé.

Dans ce même papyrus, nous apprenons encore l'importance des dons qu'il avait faits au dieu Amon et à ses prêtres de : 2 400 champs, 83 bateaux, 64 chantiers navals et 420 000 bêtes à cornes.

Ramsès III avait vaincu deux fois les Libyens : « ... Ils étaient étendus dans leur sang, des amoncellements de cadavres... »

Après la première bataille, on comptait 12 530 tués et les hiéroglyphes poursuivent : « ... Attachés comme des oiseaux, je poussais ceux qui avaient été épar-

Ramsès II éxécutant des prisonniers
(photographie Boudot-Lamotte).

gnés par mon glaive, devant les chevaux : il y avait
des milliers de femmes et d'enfants et des dizaines
de milliers de bêtes... »

Un papyrus, conservé au Musée britannique à
Londres, nous relate en 79 grandes pages, tout ce que
le roi a fait pour la Divinité.

Le savant Adolph Erman nous parle du bas-relief
qui se trouve dans le temple de la Mort du roi Sahure
(environ 2500 av. J.-C.), où les déesses et les dieux
donnent la vie au roi. La déesse Nechbet tend ses
seins au roi pour le nourrir. De longues colonnes for-

mées par les sujets, sous la conduite des demi-dieux, apportent des cadeaux. Ailleurs des bateaux amènent du butin de guerre et une foule d'esclaves. Un autre bas-relief nous raconte une campagne contre la Libye. Nous y voyons comment le roi assomme un prince, en présence des dieux qui, d'après la religion égyptienne, régnaient sur la Libye. On y dénombre des prisonniers gémissants et le butin de l'armée de Sahure. Il est énorme : 123 440 bœufs, 223 400 ânes, 232 413 chevaux et 243 688 moutons. Ce sont des chiffres fantastiques, mais ce que les hauts-commissaires ont ensuite sorti du pays n'est pas mentionné.

Dans l'Antiquité, comme maintenant, les conquêtes déclenchent l'oppression et les conflits. Les pharaons s'en servaient habilement, surtout Thoutmosis III qui fut certainement le plus grand de tous les pharaons. Il fut plus sévère qu'aucun autre roi. On l'avait défini ainsi : « Thoutmosis ou l'énergie. »

D'une main, il dirigeait ses armées en Asie ; de l'autre, il châtiait sans pitié ses fonctionnaires corrompus. Ce fut un grand politique, un grand administrateur dont le règne fit époque. Jamais, avant lui, un roi n'avait tant étendu les frontières de son pays, tout en menant de front l'administration intelligente de ses ressources. Ce génie, qui s'était élevé de l'état de prêtre obscur à celui d'un grand pharaon, est unique dans l'histoire égyptienne. Il a édifié le premier grand empire de l'histoire et ses hauts-commissaires régnaient sur le monde connu. Il réprimait sans pitié les conspirations et les révoltes ; les peuples des colonies qu'il avait conquises gardèrent pendant trois générations le souvenir de ses représailles. On jurait sur son nom que l'on inscrivait sur des amulettes.

Thoutmosis a fait ériger un des plus grands obélisques : il mesure 34 m, il pèse 320 tonnes : on peut l'admirer aujourd'hui à Rome.

Le septième pylône du temple de Karnak porte quelques bas-reliefs, taillés dans le granit, qui montrent Thoutmosis III d'une taille gigantesque occupé à balancer un encensoir. Puis, de la main gauche, il saisit des prisonniers garrottés, tandis qu'il porte la main droite à son épée avec laquelle il fendra leurs crânes qui seront apportés en hommage à Amon. Une inscription accompagne ces images : « Le sublime monarque ramène des prisonniers de nombreux pays d'Asie afin d'en faire une grande fête d'immolation. Jamais encore un roi n'a foulé aux pieds autant de prisonniers. Jamais, en Egypte, la gloire de ses expéditions guerrières ne sera détruite. »

On a déchiffré à peu près 359 noms de peuples soumis et de villes situées au fond du Soudan jusqu'à l'extrême limite de l'Euphrate, où ce pharaon lutta pour le dieu Amon. En l'honneur de la divinité, les prêtres suivaient les armées en qualité de porte-drapeau, ils se chargeaient d'exciter les guerriers au combat.

Après cinquante-quatre ans de règne, il mourut en mars 1448 av. J.-C. Il entrait dans l'éternité sous le nom du dieu Osiris. Les funérailles de cet homme-dieu durent être fantastiques, mais son tombeau fut pillé aux temps anciens et seule sa momie est conservée.

Les prêtres avaient composé un hymne à la gloire de ce roi vénéré. Ce poème d'une grande portée psychologique nous prouve combien ses contemporains le respectaient.

L'hymne débute par des louanges et des remerciements à Thoutmosis ; il se poursuit avec les exhortations du dieu Amon qui lui dit :

Je suis venu, et je t'ai permis de soumettre
Les Princes de Zahi,
Au milieu de leur montagne, je les ai jetés à tes pieds.
Je leur ai montré ta majesté, en tant que Maître de la
[*lumière,*
Afin que ton visage leur apparaisse comme ma propre
[*image.*

Je suis venu et je t'ai permis de soumettre l'Occident.
Les hommes de Keft et de Chypre sont pleins d'hor-
[*reur.*
Je leur ai montré ta majesté, comme un jeune taureau,
Au cœur ferme, armé de cornes et irrésistible.

Je suis venu et je t'ai permis de soumettre
Les habitants des marais.
Les pays de Mitanni tremblent de peur devant toi.
Je leur ai montré ta majesté comme un crocodile
Le terrible maître très haut, l'inapprochable.

Je suis venu et je t'ai permis de soumettre
Les habitants des Iles.
Au-delà de la grande mer, ils entendent tes cris.
Je leur ai montré ta majesté, comme un vengeur,
Qui s'élève au-dessus de sa victime frappée.

Je suis venu et je t'ai chargé de jeter à bas les Asiates.
Tu as capturé les chefs des Asiates de Rezonou.
Je leur fis voir ta majesté parée de ses joyaux.
Tandis qu'elle saisissait ses armes de guerre dans un
[*char de bataille.*

Je suis venu pour te charger d'abattre les extrémités
[du monde.
L'anneau des océans est enfermé dans ta main.
Je leur fis voir ta majesté sous l'aspect d'un faucon qui
[s'empare de ce qu'il voit selon son désir.

Six autres versets commencent de même : « Je suis
venu et je t'ai permis de soumettre les Libyens. Je
suis venu et t'ai permis de soumettre les Asiates, je
suis venu et je t'ai permis de soumettre l'Occident. »

Ceci nous prouve que, pour eux, le dieu Amon les
avait toujours poussés à la guerre et exigeait d'eux la
vengeance et la destruction.

Le règne de Thoutmosis se déroule sous le signe du
sang et de la puissance. Mais d'autres pharaons que
lui eurent les mêmes instincts de domination. Ainsi
le pharaon Kamose qui, prévenu par ses conseillers
de la puissance des Syriens, s'écriait : « A quoi me
sert ma puissance ! Je veux combattre l'ennemi et
lui ouvrir le ventre. » Et après la bataille, il s'écria :
« J'ai vaincu et détruit son armée ; mes guerriers sont
revenus comme des lions chargés de proies, d'esclaves,
de troupeaux et de graisses et de miel. »

Son successeur Amosis continua les guerres.

Ces faits nous prouvent une fois de plus que les
dieux étaient tout pour les Egyptiens. Ils étaient le
mobile de tous leurs actes, de toutes leurs guerres et
de toutes leurs cruautés. En l'honneur de la divinité,
tous les moyens étaient sanctifiés.

Cependant, il y avait, à l'entrée d'un tombeau de
Thèbes, la statue de la déesse de la Justice, dont la
tête était armée d'une plume d'autruche. Mais, pendant trois mille ans d'histoire égyptienne, elle ne fut
que la déesse des pauvres.

Les guerres et l'esclavage vont de pair, c'est un fait indéniable. De la IXe dynastie, nous connaissons un poème qui chante les dépenses des guerres des pharaons, avec une immense ferveur religieuse. Le poète était le prêtre Pentaür de Thèbes.

La période de Hyksos, qui marqua profondément l'Egypte, dura des siècles ; ce fut une période de lutte tragique entre les Egyptiens et les Sémites. La Bible en parle comme d'un épisode mineur. En réalité, il s'agissait d'une énorme divergence religieuse et d'une lutte pour la domination du monde. Des savants prétendent que l'ère égyptienne fut en principe pacifique et que l'esclavage ne fut pas aussi terrible que l'on dit. Il y eut bien sûr quelques sages pharaons. Nous apprenons, par un papyrus datant de la XIIe dynastie et dédié au Nil, que le taureau sacré Apis boit toutes les larmes et partage son bonheur avec les Egyptiens. Lorsqu'il n'y réussit pas, les hommes sont en deuil et se dessèchent, les dieux disparaissent alors, car le peuple n'a plus confiance en eux.

Contrairement à ce document, toutes les inscriptions nous relatent des faits de guerre, mais ne parlent jamais de cruauté et de torture.

Aucun pharaon n'aurait osé, comme le faisaient les princes assyriens, humilier ses prisonniers ou les torturer. L'esprit de vengeance des Sémites, tel que nous le relate la Bible, est étranger au pharaon. Lorsqu'il avait vaincu un peuple, il ne l'exterminait pas. On l'occupait à l'agriculture ou à la construction, travaux qui paraissaient doux à cette époque.

C'est pourquoi la Bible nous raconte que les Chefs sémites avaient la nostalgie des « pots de viande » égyptiens. Un pharaon très paternel envers son peuple avait même donné les instructions suivantes à son propre fils : « Le fils d'Amenemhat, Usurtesun, doit prendre soin que personne ne souffre sous son règne. »

L'amour était à la base de tout ce qu'il ordonnait : « Il faut créer les liens entre le roi et le peuple. » On vit des princes qui furent vénérés comme des dieux. Usurtesun ne vécut pas longtemps, il ne fit aucune guerre et sa mémoire fut exaltée pendant des siècles. Amenemhat III fut également un roi pacifique. Il construisit évidemment de grands monuments à la gloire des dieux, mais les mesures sociales qu'il avait prises furent considérables pour l'époque. Il régna avec sa descendance (XIIᵉ dynastie) durant une période de bonheur et de paix qui dura deux cent treize ans.

Ce sont ces périodes qui firent connaître à ces savants l'Egypte pacifique ; on ne retrouva pas de papyrus parlant des tortures, des souffrances et des peines des esclaves. Il reste encore beaucoup à découvrir pour le savant de demain sur cette époque pourtant déjà très fouillée.

L'histoire nous apprend que le summum de la puissance est toujours basé sur l'esclavage à outrance. L'héroïsme des uns provoque les larmes des autres.

Quelques-uns sont appelés à la lumière, mais la grande masse reste dans les ténèbres.

CHAPITRE VI

Dieux, idoles,
domination des prêtres

LA MYTHOLOGIE qui avait cours chez les Egyptiens et les Arabes est entièrement diffé- rente de celle des Germaniques. Plus tard l'esprit religieux se dépouilla chez les peuples d'Occi- dent et aboutit à des conceptions très élevées, telles que le monothéisme. En dépit d'une civilisation très avancée, cette évolution demeura incomplète chez les Egyptiens, ils en restèrent à leur conception du poly- théisme et ce fut leur perte.

Le célèbre savant Winckler disait : « Un peuple n'est vraiment une nation que lorsqu'il ne croit qu'en un seul dieu. »

L'historien Friedell ajoutait que l'essentiel chez un peuple est la religion qu'il pratique ; d'après lui, la race ne crée pas la religion, mais la religion forme la race et la distingue des autres. Cette concep- tion n'est peut-être pas défendable du point de vue biologique. Il prétend même qu'il n'existait pas d'Ara- bes avant Mahomet, pas d'Israélites avant Moïse et pas de Grecs avant Homère.

Dans l'Antiquité, l'identité entre la religion et la nation était incontestable. Les véritables maîtres d'un pays étaient ses dieux. Lorsque le pays était conquis par un autre, ses dieux étaient détrônés.

Un des exemples les plus frappants est celui du peuple juif, qui réalisa sa cohésion absolue par l'ardeur de sa foi. Nous savons, maintenant, que les Juifs qui vivaient en Egypte et qui s'appelaient les Israélites étaient des antisémistes, beaucoup plus acharnés que d'autres nations n'ont pu l'être dans la suite des temps.

Ils s'isolaient de toutes les tribus sémites voisines comme aucun peuple dans l'histoire ne l'a jamais fait, et depuis toujours ils se disaient être « le peuple élu ».

C'est par la puissance de sa religion que l'Egypte antique a pu accomplir d'immenses efforts. Toutes les pensées et les actions de l'Egyptien étaient dictées par la conception religieuse qu'il avait de l'univers et qui lui donnait la raison de son existence. La crainte de ses dieux le dominait et l'espoir puisé dans ses croyances le consolait de ses misères terrestres. Son calendrier était émaillé de fêtes religieuses et les usages de sa dévotion lui fournissaient les meilleurs éléments de son évolution littéraire, artistique, scientifique en même temps qu'ils favorisaient les progrès de l'agriculture et de l'artisanat. Comme tous les peuples anciens, les Egyptiens étaient très près de leurs dieux. Pour tout ce qui se passait dans leur entourage, pour expliquer l'existence du ciel au-dessus d'eux, ou celle de la terre à leurs pieds, leur imagination trouvait un mythe divin. Au temps de la Ire civilisation, les paysans voyaient dans le ciel une immense vache qui planait au-dessus de la terre. D'autres croyaient y reconnaître un corps féminin qui se penchait sur le globe. L'Egyptien primitif était dominé par l'idée qu'il se faisait de la vallée du Nil : il la comparait à un homme allongé sur le dos sur lequel pousseraient les plantes et naîtraient les hommes et les bêtes. S'il considérait le ciel comme une vaste mer, d'où le soleil et les étoiles émergent quotidiennement pour se diriger vers l'ouest, il devait exister, selon lui, un Nil souterrain par lequel ils devaient avoir la possibilité de retourner d'où ils étaient venus.

Le problème le plus important de leur religion était, pour les Egyptiens, l'Au-delà, ce souterrain, ce « Hadès », cette nuit absolue, ce couloir sombre par lequel le fleuve de la nuit amenait la barque du soleil de l'ouest vers l'est. Là, vivaient les morts, sous la protection du dieu Osiris et de son épouse Isis. Mais d'autres mythes existaient, qui n'étaient pas toujours aussi primitifs.

Kôm Ombo, motif décoratif (photographie Viollet).

A mesure qu'elle évoluait, la religion devenait plus exigeante pour le culte rendu aux morts. Aucun peuple, en aucune époque, n'a autant prêté d'attention au repos éternel de ses morts dans l'Au-delà que les Egyptiens. Ceux-ci, toutefois, n'ont pas connu de système religieux organisé : entre la religion du peuple et la sagesse des prêtres, il n'y avait pas d'équilibre.

De même que tous les autres pays, l'Egypte était divisée en provinces, villes et villages et chacun avait sa propre divinité. Aujourd'hui, nous connaissons beaucoup de détails sur ces divinités locales, ainsi Horus était le dieu de Behdet, le dieu Amon régnait sur Héliopolis, Thot sur Hermupolis, Mout sur Thèbes. Le dieu Chnum était le patron de Herver, Ptah celui de Memphis, et Suchos celui de Faijum. Souvent, des déesses protégeaient des petites localités ; Neith fut vénérée à Saïs et Hathor à Dendera. D'autres divinités locales portaient le nom de la ville qui les vénérait. Ainsi le chat-dieu, de la ville Baste, s'appelait Bastet. L'Egypte sacrifiait aux fétiches ; aujourd'hui encore, les habitants des îles du Pacifique et les nègres africains se livrent aux mêmes pratiques.

En certains lieux, on vénérait des pierres sur lesquelles étaient gravées des flèches, ce n'est que plus tard que l'on établit une liaison entre ce culte et celui d'Osiris et de Râ.

Des fétiches à têtes humaines étaient vénérés sous le nom du dieu Min de Koptos et de Ptah de Memphis. Ils imaginaient la déesse Hathor dans un sycomore et le dieu Nefertem comme une fleur de lotus, la déesse Neith de Saïs était vénérée sous la forme d'un bouclier, dans lequel on avait fiché deux flèches. La croyance que la divinité pouvait se montrer sous une forme animale était très répandue et particulièrement aimée. On avait élevé, par exemple, au rang de divinités, des taureaux, des vaches, des béliers, des singes, des chèvres, des crocodiles, des chats, des souris, des lions, des grenouilles, des scarabés, des ibis, des faucons, des vautours, des serpents, certains poissons et bien d'autres animaux.

Le dangereux scorpion était divinisé bien qu'il personnifiât la malédiction de Toutankhamon : le savant lord Carnarvon est mort de sa piqûre venimeuse.

Le dieu Chnum était un bélier, le dieu Horus un faucon, Thot un ibis et Suchos un crocodile. Neith était un vautour et Hathor, de Dendera, était représentée sous la forme d'une vache.

A côté de cette multitude de dieux, on vénérait les bêtes sacrées, entretenues et soignées dans leurs temples particuliers et toujours enterrées avec pompe. Lorsqu'une de ces bêtes mourait, une autre de la même race la remplaçait à condition qu'elle fût marquée d'un signe spécial à sa naissance. La plus connue était Apis, le taureau sacré de Memphis ; on trouve encore à Sakkara de multiples tombeaux consacrés à son repos.

Mais cette thèse est également confirmée par les tombeaux sacrés de crocodiles à Ombos, les tombeaux de chats de Bubastis et les tombeaux d'ibis et de béliers d'Eléphantine.

Nous avons d'ailleurs des preuves que d'autres peuples se sont servis de ces mêmes divinités. Ainsi l'aigle de Zeus, la chouette d'Athènes et le lion de Cybèle. L'aigle allemand et le lion anglais sont encore des restes symboliques de l'Antiquité.

Peu à peu, les dieux prenaient forme humaine, ils furent représentés avec une tête et des membres humains et habillés à la mode égyptienne. Ainsi que le prince, la divinité portait une couronne et comme signe de sa puissance extérieure, elle tenait un sceptre. Même les divinités animales prirent des formes humaines, par exemple Souchos, homme portant une tête de crocodile, Thot une tête d'ibis et Horus une tête de faucon. Les déesses, de même, devenaient un composé d'homme et d'animal. La déesse Mout portait une tête de vautour et on mit des cornes à la tête de Hathor qui symbolisait une vache. A côté des divinités locales, il y avait des dieux nationaux reconnus par le peuple entier. Geb était le dieu de la terre, Maât la déesse de la vérité, Nut la déesse du ciel et dans l'espace régnait le dieu Schu.

L'humidité (la pluie et la rosée) était prodiguée par Tefnu, et Râ était le dieu du soleil. Le dieu de la végétation s'appelait Osiris et était en même temps le dieu des morts. Hapis était le dieu du Nil. Parmi les étoiles, Orion et Sirius étaient considérés comme dieux.

Les dieux, qui ne se manifestaient que dans la nature, ne possédaient pas de temple et étaient partout chez eux et reconnus par tous. Mais plus tard, on leur donna également un visage humain et on leur aménagea des lieux de culte. Hapis, dieu du Nil, était le dieu de la vie familiale et contrôlait le travail. Seth ou Typhon était son adversaire et personnifiait le désordre, le désert, la frayeur et la mort. Un dieu cruel, le dieu Montk, à tête de faucon, fut nommé dieu de la guerre et le dieu Min de Koptos était le dieu protecteur de la fertilité et des récoltes.

Le dieu des artistes, des métallurgistes et des orfèvres était Ptah de Memphis et la déesse Gai. Hathor de Dendera apportait l'amour et la joie. Beaucoup de dieux locaux devaient avoir un rapport avec les puissances cosmiques. Ainsi, Thot était le dieu de la Lune, il avait créé l'ordre sur la terre, en même temps il était le dieu protecteur des hiéroglyphes, c'est pour cela qu'on le mentionnait également comme le dieu des scribes. En relation avec le soleil, il portait le double nom de Râ-Harachte, c'est-à-dire le roi des horizons et la déesse Hathor, incarnée par une vache, devint la déesse du ciel. Sopd était le dieu du désert oriental et Wen-Nofre était le dieu dont le cœur ne battait pas, c'est-à-dire le dieu qui aimait le silence.

Le scarabée, symbole solaire, devint divinité sous le nom de Chepruré et la Pierre Sainte des temples d'Héliopolis fut révérée sous le nom de Benden, car le soleil luit d'abord sur elle.

Il nous faut encore mentionner quelques dieux mineurs : la déesse de la naissance Toeris qui avait le pouvoir de freiner ou d'accélérer un accouchement ; le dieu Bes, à tête de clown, était le gardien de la chambre à coucher des époux et le crapaud divin Heket assistait aux naissances.

Ainsi que les hommes, les dieux étaient souvent mariés et avaient des enfants. Ils habitaient parfois à trois le même temple. Ainsi la femme du dieu Ptah, Sachmet et leur fils Nefertem.

L'image que les Anciens se faisaient de la terre pouvait se traduire par la description suivante : « La Terre est une immense plaine, entourée de mers et de montagnes sur lesquelles repose le ciel. »

Il y avait également des conceptions tout à fait différentes en ce qui concerne la lune et le soleil : pendant longtemps, on les considéra comme les yeux de la divinité qui avait créé le monde.

Dans le temple de Dendera consacré à la déesse

Hathor, la salle sacrée se trouvait être en état de parfaite conservation. Elle contenait autrefois la barque sacrée dans laquelle on transportait en procession la statue du dieu Amon à travers les rues. Dans une pièce voisine destinée au dieu de la mort, Osiris, on voit encore en dessous du plafond la frise célèbre appelée la *ronde animale de Dendera*, malheureusement ce n'est qu'un moulage en plâtre, car l'original se trouve à la Bibliothèque nationale de Paris. Les Egyptiens connaissaient déjà l'astrologie et savaient tirer de savantes déductions de leurs études des étoiles.

Le zodiaque de Dendérah (B.N.).

Il y avait, outre les dieux d'Etat, les dieux des provinces. Chaque ville, chaque village, les familles même possédaient le leur.

Il existait environ deux mille dieux en Egypte. Beaucoup appartenaient au règne animal : le héron, l'hirondelle, le vautour, l'oie, la perche, l'anguille, la sauterelle, la grenouille, même les cantharides avaient leur place dans le panthéon égyptien. Hérodote dit : « L'Egypte est entourée de déserts, les animaux n'y sont pas nombreux, par contre je ne connais que peu d'entre eux qui n'y soient pas sacrés. Ne soyons pas surpris par ce culte animal : on vénérait dans l'animal l'ancêtre, le parent. On suspendait les têtes cornues d'animaux prolifiques, tels que le bélier, le taureau, au-dessus de l'entrée des maisons modestes et on les révérait en tant que divinités régionales. » Comme dans le mythe grec peuplé de satyres et de centaures, il y avait en Egypte une sodomie cultuelle. Hérodote (II, 46) raconte encore : « Il arriva de mon temps qu'un bélier s'unît aux yeux de tous avec une femme. » Nous savons aussi que des femmes rencontraient le taureau sacré Apis, dans l'écurie du temple. Les Israélites s'adonnaient également à ce culte, Moïse s'écriait : « Maudit soit celui qui a commerce avec un animal ! » En Inde, certaines sectes observent encore ce culte singulier.

Le peuple déposait les offrandes qui étaient « administrées » par les prêtres. A certaines dates, on sortait les images de ces dieux et on les promenait à travers les rues, en processions solennelles, au cours desquelles l'effigie du dieu était ornée et les prêtres revêtus de vêtements d'apparat.

Ces spectacles, pleins de couleurs, parfumés par l'encens, où les vases d'or et les vêtements précieux étaient à profusion, constituaient une vision somptueuse qui influençait les âmes et renforçait leur foi naïve. Plus tard, Grecs et Romains considéraient les Egyptiens comme le plus pieux de tous les peuples, mais leur respect pour cette piété ne les empêchait pas d'en faire l'objet de leurs moqueries. Peut-être dans deux mille ans se moquera-t-on de la même façon des signes extérieurs de notre religion.

Au cours des temps, l'importance des dieux subissait des fluctuations, suivant l'intérêt que leur portaient les familles régnantes.

Horus
(B.N., Est.).

D'ailleurs, les prêtres spéculaient sur la cote que chacun d'eux avait à tel ou tel moment. Malgré tout, Horus fut toujours le dieu des rois et le patron des pharaons : Horus-Râ, dieu du soleil et dieu de l'empire.

Les couronnements avaient lieu en grande pompe dans les temples édifiés pour ces divinités. Dans toutes les cérémonies, le roi était adopté par le clan des dieux et devenait dieu suprême sous le titre de Maître des Sacrifices.

Lorsque l'Egypte fut partagée en deux royaumes, la déesse vautour Nechbet et la déesse serpent Buto furent les divinités les plus importantes ; elles étaient placées même au-dessus de Râ.

A toutes les époques de son histoire, l'Egypte est restée un pays de formation monarchiste et la divinité du roi était incontestée. Dans tous les temples, même au siècle d'Alexandre, les effigies des rois apparaissent toujours avant celles des dieux. Ses proches sont près de lui et de la reine seule tombe un peu de rayonnement divin. Lorsque la politique égyptienne amena les rois à se déplacer vers le sud, une nouvelle phase de la religion entrait en action. Le dieu Amon fut considéré comme le dieu du soleil et appelé Amon-Râ. Un proverbe de l'époque dit : « Amon est le chef. » Toutes les guerres déclenchées contre la Libye et l'Asie furent menées en son nom et, dans les pays conquis, on lui dédiait des sanctuaires.

Dans la XVIIe et la XVIIIe dynastie, Amon devint le dieu national égyptien, le concurrent heureux de l'ancien dieu national Horus.

L'homme moderne imagine mal ce système de dieux égyptiens représentant un phénomène religieux et politique, qui lui paraît à la fois naïf, compliqué et inaccessible. Malgré cette naïveté, il n'en reste pas moins que « la vallée du Nil était un grand paradis des Croyants ». Nous pourrions souvent les prendre en exemple !

Cette multitude de dieux demandait une armée de prêtres, chaque effigie avait les siens. Les fêtes données en l'honneur des dieux étaient célébrées par un grand nombre d'officiants habillés de blanc, leur tête était rasée de près et enduite d'huile précieuse. Au cours de ces cérémonies, on sacrifiait un taureau sacré qui devait être ligoté. Ensuite, les prêtres conduisaient au temple le grand prêtre qui portait un diadème sur la tête et une robe pourpre brodée d'or. Lorsque la foule l'apercevait, elle s'agenouillait et les hauts dignitaires s'inclinaient devant lui. Puis le silence se faisait. Dès que le taureau avait été aspergé d'eau sacrée, et dans un recueillement profond, le grand prêtre accomplissait l'acte essentiel : il immolait de ses propres mains le taureau. S'il réussissait à faire jaillir le sang en enfonçant le couteau dans le cou de la bête, la foule entonnait des hymnes de joie. Des pauvres attendaient dans la cour du temple et recevaient des morceaux de la viande. La grande fête nationale était celle de la moisson, dédiée au dieu Amon et au cours de laquelle on lui sacrifiait une vie humaine. Dans le temple de Thèbes, le pharaon et son épouse étaient assis sur leur trône, couronne en tête, habillés de vêtements pourpres et parés de splendides bijoux. A leurs côtés, se tenaient les grands prêtres et les hauts dignitaires. Le peuple attendait sous les arcades, dans les halls et dans les cours.

Lorsque les prêtres avaient accompli les rites, une cloche sonnait. Le silence le plus absolu régnait, interrompu seulement par les gémissements apeurés des esclaves ligotés.

A ce moment-là, le pharaon avançait vers l'autel et coupait la gorge à un esclave. Le grand prêtre faisait de même et aux gémissements des esclaves s'ajoutaient les jubilations et les cris de joie des croyants. Pendant l'agonie de ceux qui perdaient leur sang, les prières du peuple montaient vers les dieux. Ainsi, à la même heure, dans toutes les villes et dans tous les temples, des milliers d'esclaves et de prisonniers étaient sacrifiés.

Le peuple qui défilait ensuite devant l'autel se délectait et prenait plaisir à contempler les cadavres ensanglantés. Et sur les porches des temples, les vautours et les corbeaux attendaient avidement qu'on leur jetât ces cadavres dépecés, tandis que les prêtres, dans le ravissement, agitaient leurs sistres.

Dieu à tête de bélier (B.N.).

Une stèle du temple d'Abydos montre Séthos Ier sacrifiant à Amon mille pains, mille cruches de bière, mille quartiers de bœuf, mille mesures d'encens. Le roi tient dans ses mains un brûle-parfum ; auprès de lui se tient son fils, paré de la peau de panthère des prêtres. Celui-ci fait une libation (sacrifice en signe de reconnaissance) sur l'autel. Des peintures murales montrent le roi occupé à découper les animaux du sacrifice. Une autre peinture montre les animaux amenés pour être sacrifiés : des bœufs, des antilopes, des oies. Quatre prêtres prennent part à cette cérémonie. L'un note les offrandes, un autre les encense, les autres sacrifient les animaux. Enfin une peinture représente des prêtres et des soldats traînant à leur suite des nègres liés de cordes.

Les danseurs attachés aux temples avaient une situation particulièrement considérée. Jeunes filles ou jeunes gens, choisis avec discernement, fréquentaient des écoles de danse depuis l'âge de six ans où ils étaient instruits par des prêtres dans l'art de chanter, de jouer des instruments. Fardés de vives couleurs, parés de nobles joyaux, ils défilaient en procession sur les places, devant les temples, sous les yeux de la foule dévote. Dans le roulement des tambours ou dans le doux tintement des lyres, les danseurs avançaient nus, avec des gestes précis. Leur danse rythmée les mettait peu à peu dans une sorte d'état extatique.

L'effigie d'Amon était portée en une procession solennelle dans l'allée des béliers, pour être acclamée par des milliers de croyants enthousiastes. Les grands temples subvenaient à l'entretien d'une « maison des champs ». Des jeunes filles l'habitaient : c'étaient les amantes du dieu Amon. Elles y menaient une vie de parasites et il était fréquent que les prêtres se battissent pour avoir la plus belle. Durant la procession, elles chantaient et dansaient et le peuple, qui bordait les rues et les places, applaudissait suivant la qualité des danses. Ce peuple avait une certaine formation artistique, qui l'aidait à discerner la meilleure d'entre elles dont il faisait sa vedette préférée. Derrière l'effigie du dieu, se promenait sous un baldaquin magnifique le grand prêtre du temple, suivi par les autres prêtres qui chantaient en chœur. Partout où cette procession se montrait, les hommes se mettaient à genoux et étendaient leurs mains en signe de prière. A la fin de la procession, la statue du dieu était ramenée au

temple, et dans le hall, était solennellement lavée.
L'eau de ces ablutions était distribuée aux malades,
comme un remède miraculeux. Ensuite la statue du
dieu Amon était replacée dans un coffre dont la porte
était de nouveau scellée pour une année.

Comme maintenant, lors de ces fêtes, les Egyptiens
pavoisaient les temples ; les palais et les villes des
riches étaient ornés de drapeaux et de tapis multi-
colores. Même dans les quartiers des pauvres, il n'y
avait pas une seule maison, pas une seule cabane
sans ornement. Le peuple jubilait, il était content et
malgré ses exécrables conditions de vie, il oubliait
pendant quelques instants sa misère.

L'Egyptien de la rue aimait à porter lui-même
son sacrifice au temple. Par exemple, une paysanne
du nom de Duhotep avait tué une oie ; elle en coupait les meilleurs morceaux et les apportait à l'autel
le plus proche. Le peuple vivait dans la préoccupation
des sacrifices qu'il apportait aux dieux, mais il conve-
nait d'en faire surtout pour les défunts.

Il était très important de prendre soin de Ka qui

La barque d'Amon tirée par des chacals (B.N.).

était la personnification de l'âme que, seul, le prêtre pouvait conserver en vie à l'aide de chants monotones.

En dehors de ces sacrifices, le peuple était tenu de payer la dîme, c'est-à-dire la dixième part de sa récolte, même du butin de guerre et de son gain d'artisan. Cet impôt sacré était partout en usage. Dans son livre, Moïse lui-même, beaucoup plus tard, donna à cet usage force de loi : « Il faut que tu paies ta dîme toutes les années ! »

En principe, les prêtres étaient issus des meilleures familles. Ils poursuivaient leurs études théologiques dans les écoles spécialisées, qui leur apprenaient tout ce qui concernait le culte des dieux.

Les places supérieures étaient évidemment occupées par les descendants des classes prédestinées, tels que les fils des grands prêtres et des princes.

Les princesses épousaient souvent leurs frères ou devenaient prêtresses, en épousant un prêtre haut gradé. La prêtresse dépendait d'un collège suprême à la tête duquel se trouvait le grand prêtre d'Amon.

157

La femme du grand prêtre était choisie pour la femme principale du Dieu, mais la véritable épouse en était la femme du pharaon.

Il était fréquent que les grands prêtres eussent le commandement suprême de l'armée car, bien que les enfants des classes intellectuelles apprissent à lire et à écrire, il fallait avoir réussi des études supérieures théologiques pour devenir médecin, astronome, chef d'armée ou juge. Le fonctionnarisme était à la base du système : les rois mouraient, les prêtres mouraient, mais le fonctionnarisme semblait éternel.

Les intrigues étaient fréquentes. Elles tombaient sur un sol fertile : la jalousie, la mesquinerie, la vengeance et l'envie y proliféraient et en étaient les principales causes.

Souvent, ces intrigues déclenchaient des révolutions de palais et il n'était pas rare qu'un prêtre obscur, profitant de cette occasion, fût parvenu jusqu'au trône. Citons un exemple trouvé dans un papyrus : le pharaon Thoutmosis Ier avait eu de la première de ses épouses, qui ne faisait pas partie de son « harem », trois enfants : le prince héritier, puis une princesse et un prince. L'aîné des princes régnait aux côtés de son père, mais la princesse Hatshepsout était l'enfant préférée de ses augustes parents. Un bas-reliefs du temple de Karnak nous apprend les événements qui marquèrent sa venue au monde, l'inscription qui l'accompagne dit :

« Amon, ayant pris l'apparence du noble roi Thoutmosis, trouva son épouse endormie dans sa chambre... Lorsqu'elle sentit le parfum qui émanait du dieu, elle s'éveilla et le dieu lui offrit son cœur et se montra à ses yeux sous son aspect divin. Lorsqu'il s'approcha de la reine, elle jubilait de bonheur à la vue de sa puissance et de sa beauté et l'amour du dieu comme son parfum pénétra tout son corps... »

D'autres bas-reliefs nous font assister à l'accouchement de la reine, où l'on voit le dieu Amon prendre la petite princesse Hatshepsout des mains de la déesse Hathor. Cette princesse fut pourvue jeune d'un autre trône, ce qui l'élevait au rang de reine régnante — cas assez rare. Les constructions qu'elle fit élever en hommage aux dieux disent sa puissance et sa magnificence. Dans une inscription, elle se vante des obélisques de grande taille qu'elle fit élever en l'honneur d'Amon.

« Mais toi qui, après de nombreuses années écoulées, verras mes colosses, tu diras de moi : nous ignorons comment elle a pu créer toute une montagne dorée comme si c'était là un travail ordinaire... Pour la dorer, elle a dépensé l'or par boisseaux, comme s'il ne s'était agi que de sacs de farine. L'or réuni par Sa Grandeur était tellement considérable que jamais l'Egypte n'en avait vu autant. Lorsque tu entendras tout ceci, ne dis pas ce sont des vantardises, mais dis au contraire : Comme cela lui ressemble, elle est digne de son père Amon... »

La reine Hatshepsout épousa son plus jeune frère, qui n'avait pas de prétentions au trône. Ces mariages entre frères et sœurs de race royale étaient fréquents, cela dans le but de conserver la pureté de sang de la race. La légende d'Isis donnait l'exemple de ce genre d'union. Le dieu Osiris épousa sa sœur Isis qui mit au monde le jeune Horus.

Un texte relevé sur une pyramide nous transmet le mythe du printemps. La mort et la renaissance du dieu de la fécondité furent reportées sur le dieu Osiris, le texte est ainsi conçu : « Joyeuse et brûlante d'amour, ta sœur Isis s'en va vers toi. Tu l'as posée sur ton phallus afin que ta semence soit féconde en elle sous la forme de Sothis. Horus, le puissant, est issu de toi. »

Malgré ces mœurs étonnantes, on n'a jamais observé de signes de dégénérescence chez les Egyptiens, la reine Hatshepsout était belle et aimée, et les prêtres redoutaient sa trop grande intelligence.

Elle fit construire son tombeau et un magnifique temple sur les rochers de Deir el-Bahri. Elle a laissé également deux obélisques de 29 m de haut, pesant 350 tonnes.

Mais, très vite, elle ne fut plus amoureuse de son mari et frère. La haine qu'elle lui portait incita le

Scène de repas, nécropole de Thèbes
(photographie Boudot-Lamotte).

prince à se faire prêtre et il fut bien accueilli dans le collège des prêtres d'Amon. Là se fomentèrent toutes sortes d'intrigues contre Hatshepsout qui mourut un beau jour... Tout le peuple était en deuil. Afin de détourner les soupçons, son frère divorcé célébra lui-même, en qualité de prince-prêtre, les obsèques solennelles.

Les prêtres réussirent à posséder un pouvoir qui rivalisait avec celui du roi. Le droit au trône dépendait de la reconnaissance du prétendant comme fils d'Amon. Cette reconnaissance était accordée ou refusée par un haut collège ecclésiastique.

Ces intrigues devaient porter leurs fruits. Bien que le vieux roi régnât encore sous le nom de Thoutmosis Ier avec son fils, Thut III, les prêtres décidèrent de faire monter leur prince sur le trône, pendant une cérémonie qui se déroulait au temple, et le nouveau roi fut élu par le dieu lui-même dans une atmosphère de fanatisme.

Tandis qu'on transportait l'effigie du dieu Amon parmi les applaudissements de la foule, le prince-prêtre se trouvait avec ses collègues auprès des colonnes, du côté nord du temple. Les prêtres passaient avec la statue du dieu entre les colonnes comme si Amon cherchait quelqu'un. Soudain, ils s'arrêtèrent devant le prince qui s'inclina respectueusement : mais le dieu lui demanda de se relever et lui ordonna de se rendre immédiatement à la place réservée au roi.

Ainsi « Amon avait préféré le fils au père ». Maintenant, il s'appelait Thoutmosis III. Son élection fut rendue publique en mai 1502 av. J.-C. En même temps, il renonçait à sa dignité de prêtre.

Il est probable que le vieux pharaon et son héritier légal ne furent pas enchantés de ce subterfuge, mais comme on ne les considérait pas comme dangereux, ils furent laissés en vie. Le nouveau roi disposa bientôt de tous les pouvoirs, car les prêtres savaient pourquoi ils l'avaient fait élire. Thoutmosis III fit construire un grand nombre de temples ; il remplaça même les plus anciens. Si on voulait mesurer sa grandeur aux nombres des guerres gagnées au nom d'Amon — il y en eut exactement dix-sept — on pourrait le considérer comme un des plus grands pharaons de l'époque.

L'Egypte était puissante et elle se promit d'entretenir des relations amicales avec d'autres pays. On a découvert trois cents tablettes d'argile avec des inscriptions en langue babylonienne, qui représentent une correspondance intéressante entre les princes babyloniens et les pharaons. Nous y apprenons, entre autres, qu'un des pharaons avait épousé une princesse de Mitanni et qu'une des princesses égyptiennes s'était mariée en Asie. On y trouve des noms comme Taduchipa, Tuschratta et Chutarna. La princesse Giluchipa amena en dot, à l'Egypte, trois cent dix-sept femmes et servantes. Ces mariages favorisèrent les échanges commerciaux qui se firent au taux de l'or.

Parmi les autres objets d'importation, nous trouvons surtout de l'encens. L'encens venait des ports de l'océan Indien et était indispensable au culte des dieux.

Les sages rapportaient de l'Orient l'or et la myrrhe en signe de vénération. Ces matières précieuses faisaient partie (comme le sucre vient soi-disant d'Ophir) des productions les plus précieuses que Salomon obtint du pharaon, son ami « commercial », et amena à Jérusalem, à la grande surprise des Juifs austères.

D'ailleurs l'encens, l'or et la myrrhe furent les cadeaux symbolisant la soumission des rois mages à l'enfant Jésus.

La matière d'exportation principale des Egyptiens était le lin, dont ils avaient depuis toujours soigné la culture et la mode de l'époque exigeait des vêtements en lin blanc.

Le lin fin habillait les princes et les prêtres. Le culte des morts, ainsi que les momies, exigeaient des quantités considérables de ce tissu.

Aménophis IV, fragment de pilier. Musée du Caire (photographie Bulloz).

CHAPITRE VII

La dynastie
des pharaons

DURANT les trois principales périodes de l'histoire
de l'Egypte ancienne, de l'an 3000 av. J.-C.
jusqu'au règne d'Alexandre le Grand, en 332
av. J.-C., il y eut environ trente dynasties et deux
cent quatre-vingt-quinze pharaons, pratiquant tous le
polythéisme.

Un seul d'entre eux ne s'y plia pas : Aménophis IV
et sa femme Nefertiti, de la XVIIIe dynastie. Aménophis IV voulut poursuivre l'œuvre timidement commencée par son père et proscrivit le culte absolu. Il
remplaça le culte d'Amon par l'adoration unique du
soleil : Aton.

Nous avons de lui ce poème à la louange du dieu
solaire :

Ta lumière est belle au bord du ciel,
Toi, Aton vivant, qui es apparu le premier.
Lorsque tu te lèves à l'est,
Tu remplis tous les pays de ta beauté.
Car, tu es beau, tu es grand, et tu brilles très au-dessus
                                        [de la terre.
Tes rayons embrassent les pays et les créations.

Tu es Râ et tu les as tous séduits.
Tu leur as imposé les liens de ton amour.
Bien que tu sois lointain, tes rayons atteignent la terre.
Bien que tu sois très haut, tes pas marquent le jour.
C'est toi qui fais naître l'enfant dans les femmes.
C'est toi qui crées le sperme dans les hommes.
C'est toi qui donnes la vie au fils dans le ventre de la
[femme
C'est toi qui le calme, pour qu'il cesse de pleurer.
Toi, la nourrice dans le ventre de la mère.
C'est toi qui donnes le souffle, qui fais vivre ce que
[tu as créé.
Lorsque l'enfant sort du ventre le jour de sa naissance,
Tu lui donnes le don de la parole.
Et tu crées tout ce dont il a besoin.
Tu as créé les saisons pour achever tes œuvres.
L'hiver pour les refroidir
Et également la chaleur de l'été.
Tu as créé le ciel lointain pour y monter
Pour que tu puisses observer ce que tu as créé.
Lorsque tu étais seul
Toi, Aton, vivant dans ton rayonnement
Soleil levant, brillant,
Qui disparaît et revient.

De nombreux textes littéraires des auteurs égyptiens revêtaient la forme poétique. Mais, il est souvent bien difficile de distinguer la prose de la poésie. L'auteur de cet hymne était le pharaon Aménophis. Il concevait l'idée de la domination du monde, comme celle du créateur de la nature qui apporte son amour à toutes ses œuvres.

Nous trouvons d'autres passages, où le roi appelle Aton « le père et la mère » de tout ce qu'il a créé.

Son idée de la bonté de ce dieu paternel nous rappelle étrangement les paroles de Celui qui avait donné en exemple les lys dans les champs.

Aménophis voulait qu'on reconnaisse la puissance et la domination du soleil sur le monde entier et qu'on soit persuadé de sa protection patriarcale sur tous les hommes sans distinction. Il donnait une grande leçon aux fiers Egyptiens, en leur montrant l'esprit de charité du « père commun » de l'humanité et il mentionnait même en première place la Syrie et la Libye vaincues.

L'esprit profond de ce jeune roi révolutionnaire était remarquable à une époque aussi primitive. Au lieu de se mettre à la tête de ses armées pour faire la guerre, il s'absorbait dans ces idées révolutionnaires. Il favorisait surtout les prêtres philosophes. Son idéal et ses buts en firent le plus étrange des pharaons et le premier réformateur de l'humanité. Les actes d'Aménophis ne furent pas seulement révolutionnaires en ce qui concerne les religions et les arts, ils bouleversent toutes les conceptions de la vie de son temps.

Ce n'était certainement pas un rêveur, car nous avons maintes occasions d'admirer l'âme ardente qui se trouvait dans ce corps fragile. Celui qui avait le courage de lutter avec tant de persévérance contre la structure spirituelle de l'ancienne Egypte ne pouvait être un fantaisiste. Considérons-le comme un révolutionnaire, pacifiste convaincu.

C'est la raison pour laquelle Aménophis méprisait l'armée des prêtres d'Amon. Il les considérait comme des fétichistes, des marchands occupés à consulter des ouvrages de magie tout en s'entourant de scarabées sacrés. D'ailleurs, ils étaient plus guerriers que théologiens. Un prêtre, qui voyait dans le vacarme des armes et le sang versé la volonté divine, était aux antipodes de la divinité et tel que le démon un singe de dieu. Tout ce que faisaient les prêtres était empreint de superstitions et s'était mué en un jeu enfantin, comprenant des symboles mal interprétés. Dans un de ses décrets, le pharaon exigeait des prêtres qu'ils fissent marche arrière car la connaissance du dieu ne s'exprime que dans la vérité et l'amour.

Ce décret éveilla peu d'intérêt. Un jour, cependant, un prêtre dut être arrêté pour y avoir gravement désobéi et aussi pour avoir vendu fort cher à une femme un *Livre des morts* qu'elle voulait mettre dans la tombe de son mari afin de sauvegarder son âme. Le prêtre, neveu du grand prêtre Bekanchos, comparut devant un tribunal qui le condamna à mort. Il fut exécuté.

Cet incident déclencha en Egypte un mouvement socialiste d'une grande envergure. Nous sommes en 1370 av. J.-C., dans la grande salle du trône, les notables de l'Empire sont rassemblés. Le pharaon et son épouse Nefertiti sont assis majestueusement sur leurs trônes. A leurs côtés se tient le commandant de la garde, Horemheb.

On peut lire sur les visages la plus grande tension nerveuse. En face des notables, se tient le grand prêtre Bekanchos, entouré de ses prêtres. Et le roi proclame du haut de son trône : « Hommes de Thèbes, depuis que je porte la couronne, j'ai étudié toutes nos mœurs et nos croyances. Notre peuple pratique un culte païen, sacrifie à une armée de dieux dont le grand prêtre est Bekanchos. Mais moi, je déclare qu'il n'y a pas de dieux qui puissent accepter le sang et l'assassinat même à titre de sacrifice tel qu'il se pratique chez nous. Il n'y a qu'un seul dieu, qui se trouve au-dessus de tout et qui dirige notre destinée. Notre dieu, c'est Aton ! le dieu qui est dans le soleil, le soleil lui-même qui conserve tout. Renoncez au dieu Amon et à son culte païen et suivez ma doctrine. Appliquez-vous à devenir des hommes égaux avant que la mort ne nous mette à égalité.

« Je ferme les écoles des prêtres, car les prêtres n'ont jamais été les serviteurs de Dieu. Leur doctrine est erronée et à rejeter.

« Je fermerai tous les temples d'Amon et supprimerai les sources de profit des prêtres. Je m'empare de leurs ports, de leurs navires, leurs ateliers, leurs carrières, tous leurs greniers et tous leurs troupeaux qui forment dans la colère et la passion de la domination un Etat dans l'Etat. Dorénavant, les prêtres pourront être cités devant un tribunal. Tous les Sémites venus de Babylone qui propagent les mœurs condamnables en Egypte sont bannis du pays. »

Aucun pharaon n'avait encore parlé ainsi ! La consternation fut à son comble et la fureur des prêtres sans limites. Alors le maréchal de la Cour s'avança et poursuivit à la place du roi : « Le Pharaon déclare que la ville de Thèbes est indigne d'être sa capitale. Il fait construire une nouvelle résidence à El-Amarna en l'honneur du dieu Aton, le soleil. En signe de réforme, le Pharaon a décidé de changer son nom. Il s'appellera dorénavant : Akhnaton, en l'honneur d'un seul dieu. Ceux qui voudront suivre le Pharaon seront les bienvenus à Amarna et trouveront un nouveau foyer. »

Cette déclaration provoqua des troubles dans le grand temple d'Amon, où les prêtres durent protéger de leurs corps les effigies des dieux. Des soldats refusèrent d'obéir à leurs officiers, le peuple se mit à piller, s'enivra et pénétra dans les harems des riches où les femme furent violées. Mais le calme fut bientôt rétabli. A l'aube, le son des trompettes d'argent proclamait le départ du roi. Le peuple en liesse parcourait les rues et les places et pénétrait dans le temple du dieu à tête de bélier, Amon.

Les uns prétendaient avoir vu la reine Nefertiti évanouie dans les bras de son mari et emportée vers le bateau, d'autres se disputaient au sujet du nouveau nom du roi, maintenant il fallait appeler Akhnaton celui qui était Aménophis IV. C'était un apostat envers l'ancien dieu Amon, sous la protection duquel l'Egypte avait grandi. Il fallait, maintenant, sacrifier au nouveau dieu inconnu, cet Aton, pour lequel le roi voulait construire une nouvelle capitale et un temple du Soleil. C'était un bouleversement total.

Lorsque la flotte royale eut gagné la mer, la mère du roi resta seule dans le palais abandonné. Ses fidèles même l'avaient quittée, pour accompagner le roi. Elle prédit la mort de son fils et la fin de l'Empire. Déjà, Aménophis II, son époux, ne s'était plus occupé de la Syrie. Maintenant, le puissant émir des Hittites se préparait à détruire l'Egypte. Le jeune roi restait insensible à tous les dangers qui menaçaient son empire. Touché par la grâce de l'Eternel, il ne voyait que le Soleil, cette nouvelle divinité qui ne tolérait aucun autre dieu à ses côtés.

Il était, le roi-poète, déjà atteint d'une maladie incurable et souvent ses servantes devaient le porter au palais lorsqu'il s'était évanoui dans les champs où il se promenait, en récitant des vers.

Il avait décidé non seulement de détrôner tous les dieux de son peuple, mais également d'interdire la déesse mère : Mout. Seul, le culte d'Aton, dans le ciel nettoyé des faux dieux, était admis ; il fallait vénérer uniquement ce « Dieu jubilant dans la montagne de lumière » dont les mains rayonnantes communiquaient les milliers de vies qu'elles contenaient à son fils sur la terre, Akhnaton, celui qui dirigeait le destin de son peuple.

Le bouleversement que cette réforme provoqua était sans exemple. Toutes les formes de la vie se trouvaient renversées, toute l'Egypte était en mouvement et en révolte.

Le peuple égyptien avait trop pris l'habitude de ses prêtres et de ses dieux anciens. Les traditions religieuses représentaient son « système nerveux » et, jusqu'alors le moindre petit geste avait été accompli sous l'influence de cette tradition.

Akhnaton allait donner le coup de grâce à toute cette organisation. Une seule voie devait guider maintenant le peuple vers Aton, le disque solaire, symbole unique de la nouvelle doctrine. La crainte allait être remplacée par la confiance, la peur de l'Au-delà, par la joie sur la terre, car Aton était le dieu de l'Amour et de la Paix, le maître du destin, la source de l'abondance de la fertilité, qui crée la vie, qui apprend le rire aux opprimés et leur apporte la liberté. Aton entendait le poussin frapper dans l'œuf et l'aidait à en sortir.

Lorsque Aton rayonne, les hommes dansent de joie. Les oiseaux dans le ciel et les animaux sur la terre et dans la mer vont vers lui.

L'homme devait vivre désormais dans la vérité et dans la simplicité, comme le roi lui-même qui, contrairement à l'ancien protocole, se mêla au peuple, permit aux artistes de faire son portrait et jouait avec sa petite fille comme n'importe quel père.

On a trouvé le merveilleux hymne au soleil, monument poétique de la vie nouvelle qu'explique la nouvelle doctrine et qu'on attribue à Akhnaton :

La terre s'éclaircit, lorsque tu te lèves dans la monta-
                                     [gne lumineuse.
Lorsque tu rayonnes, Aton le Jour,
Les deux pays sont remplis de joie.
Ils se réveillent, se lèvent aussitôt,
Car c'est toi qui les soulèves.
Ils se lavent et s'habillent
Leurs bras chantent les louanges de ta splendeur
Et tout le pays te répond par son travail.
Les bêtes se réjouissent de l'herbe.
Dans les arbres verts et dans les prés,
Volent les oiseaux ;
Leurs ailes sont une louange pour toi ;
Et les moutons bondissent
Car ils vivent, parce que tu t'es levé pour eux.
Les bateaux montent et descendent les fleuves
Et les routes s'ouvrent, parce que tu brilles.
Les poissons dans le fleuve sautent devant toi,
Et les rayons pénètrent profondément dans la mer.

Longtemps après, des siècles apr. J.-C., un autre hymne au soleil, celui de saint François d'Assise, devait chanter aussi la beauté du monde.

Celui qui sait comprendre ces vers vieux de 3000 ans peut imaginer le positivisme juvénile du roi. Cette nouvelle conception se répand dans la nouvelle ville et influence les arts. Elle contraste avec l'Egypte ancienne. On le perçoit par ces phrases du vieux roi Amenemhet Iᵉʳ qui, dans le testament laissé à son fils, avait dit : « Tu ne dois pas aimer ton frère, tu ne dois pas avoir d'ami, car ceux qui ont mangé de mon pain se sont révoltés contre moi. » Et les sphinx aux crinières de lion témoignaient encore de sa puissance. Maintenant, au royaume d'Akhnaton, c'était le règne de la beauté, de la vérité et de la nature.

C'est à cette époque qu'un grand artiste créa ce merveilleux buste de Nefertiti, avec son cou mince et sa tête ornée de la coiffure royale. Un certain réalisme s'introduisit dans l'art des bas-reliefs et pour la première fois, l'on prit des moulages en plâtre d'hommes célèbres.

Pour la première fois également, on trouve une main bien dessinée : le pied est reproduit avec ses doigts et il y a un rapport entre les dessins supérieurs et inférieurs, sur les murs des tombeaux. Les peintres et les sculpteurs travaillent librement, n'étant plus soumis à la censure des prêtres.

L'art nouveau d'Amarna marque évidemment la fin d'une évolution qui avait pris naissance auparavant et surtout sous le règne du fils d'Akhnaton. Mais l'abandon de Thèbes et les nouvelles constructions de la « ville de l'horizon » nous prouvent que cette évolution pouvait maintenant s'accomplir librement.

Les peintures du plancher bien conservé découvert dans le palais royal d'Amarna en témoignent.

Fleurs de toute espèce, arbres, palmiers et figuiers étaient peints sur un fond jaune clair, dans un style réaliste et aimable. Les peintres emploient pour la première fois les demi-teintes inconnues de l'Ancien et du Moyen Empire.

Il est certain que les artistes d'Amarna avaient trouvé une nouvelle forme d'expression. D'autre part, il se peut très bien qu'ils aient été fortement influencés par l'art crétois, bien que celui-ci ne fût qu'une interprétation de ce que l'art égyptien antique lui-même avait apporté à l'île de Crète.

Ce qui est certain, c'est la différence de conception de ces deux modes d'expression.

L'art crétois est plus chaud, plus érotique, plus raffiné et plus élégant que les expressions vraies mais naïves d'Amarna.

Les artistes égyptiens ont-ils été entièrement sous l'influence de leur jeune roi ? Akhnaton prêche la foi. Le lion et le serpent eux-mêmes ne quittent leurs cachettes que lorsque le disque solaire d'Aton a disparu derrière l'horizon. Mais contrairement à ce qui s'est passé au paradis des chrétiens, ils sont considérés comme des enfants innocents de la Nature. Akhnaton ne se contentait pas, comme saint François d'Assise, de prêcher sa doctrine. Il se mit à détruire avec fanatisme les anciens dieux. Dans cette voie le poète de la nature se montra un destructeur sans pitié. Il ne s'était pas contenté de détrôner Amon et son royaume de dieux : et au lieu d'envoyer ses guerriers à la conquête de pays étrangers, il les envoyait dans les temples et les tombeaux, leur ordonnait de détruire les symboles, les effigies, les noms des dieux et tout ce qui pouvait les évoquer.

Rien ne devait plus rappeler les puissances obscures du passé, dans cette ère de la Lumière...

Il n'est pas impossible qu'en dehors de ces mobiles idéalistes Akhnaton assouvît une certaine vengeance, surtout en détrônant la déesse Mout qui avait refusé un fils à Nefertiti.

Six filles étaient issues de ce mariage, ce qui explique peut-être l'expression triste de la reine qui contraste avec sa beauté. Le roi se vengeait peut-être aussi des démons qui venaient le tourmenter. Pour ne pas avoir de témoins de ses crises maladives, il n'employait, dans le temple d'Aton, que des chanteurs aveugles. C'est d'ailleurs une politique d'aveuglement qui le détourna de s'occuper des événements extérieurs et des difficultés de l'Empire. Ce qui le perdit. Lorsque ses coureurs lui apportaient des messages pleins de mauvaises nouvelles, le Roi s'en remettait au dieu du Soleil. Que pouvait-il arriver quand Aton régnait !

Les villes menacées appelaient en vain au secours et il était convaincu que lorsque le pays entier croirait en Aton, tout s'arrangerait. Ainsi Akhnaton poursuivit sa lutte contre les dieux et sa femme, la belle Nefertiti, fille d'un officier, qui l'adorait, le comprenait et entonnait avec lui l'éternelle antienne : « Aton, tu es brillant, tu es clair, tu es fort, ton amour est grand et puissant. »

Nefertiti était aussi simple que son époux. Il avait interdit au peuple de se mettre à genoux devant lui et Nefertiti aspirait à la même popularité. Elle voulait vivre avec le peuple, ce peuple dont elle était issue. La petite fille d'origine bourgeoise, qui n'était pas de sang royal, n'en était pas moins désirée et aimée par Akhnaton et elle n'aspirait qu'au bonheur et à l'amour.

Souvent, le couple royal se promenait dans les champs. Ils montaient bras dessus, bras dessous sur une colline et la reine s'arrêtait pour écouter, pleine de respect, les théories du roi sur le soleil. Tous deux vivaient dans la monogamie, et ils étaient heureux, car sur l'ordre du pharaon, le harem avait été supprimé. Sa vieille mère, la reine Tejé, qui s'était finalement décidée à venir à Amarna, ne partageait nullement ces idées. Elle était la fille du prêtre Jouja et de sa femme Touja, dont le tombeau a été découvert par l'Américain Dairs, en 1902. Elle s'inquiétait au sujet des dieux anciens et des prêtres. La reine mère et le maréchal de la Cour Horemheb se faisaient mille soucis pour les dieux anciens et pour leurs prêtres.

*Princesse mangeant un canard, étude. Musée du Caire
(photographie Bulloz).*

La reine mère avait souvent essayé d'influencer sa belle-fille, mais celle-ci était entièrement sous la coupe de son mari dont les nouvelles idées correspondaient d'ailleurs à ses aspirations de bourgeoise.

On ne s'étonnera pas de ce que les prêtres, qui avaient vécu des temples pendant des années, aient conspiré de plus en plus contre le roi, mais le roi restait sourd aux avertissements de son entourage et préférait s'enfermer dans sa tour d'ivoire et persévérer dans son aveuglement.

Akhnaton aimait les hommes en Dieu, et Dieu dans les hommes. Il vivait modestement et libérait tous les esclaves. Il fit appel aux pauvres et leur demanda de lutter pour la cause d'Aton. Ils n'y perdraient rien : la victoire d'Aton serait la fin de l'esclavage, de la pauvreté et de la misère.

L'existence primitive et la pauvreté des fellahs étaient indescriptibles. Les femmes mettaient au jour une douzaine d'enfants et plus, dont à peine la moitié restait en vie. Akhnaton conseilla aux mères de n'avoir que deux enfants.

Il fit réviser tous les jugements et libéra beaucoup de prisonniers. Il élabora même des lois pour la protection des animaux, car il trouvait que la chasse et la pêche étaient des activités inhumaines.

Les écrits nous rapportent une conversation entre Nefertiti et le grand prêtre. Celui-ci aurait dit : « Il n'est pas possible d'exclure le commerce de la vie sociale, car dans ce cas tout le monde irait dans les champs pour récolter ce qui n'a pas été semé. Le marché est un intermédiaire indispensable, comme les prêtres et les temples sont les ponts indispensables entre le peuple et la divinité. »

Nefertiti, qui n'était pas du même avis, s'écria :

« Vous ne comprenez pas la doctrine du roi, Aton n'est pas seulement le soleil, Aton représente tout et se trouve partout. Aton ne peut tolérer la misère des esclaves, il désire la joie des hommes. Aton dirige le vol des oiseaux, le chemin des poissons et celui des moustiques. Aton personnifie toutes les étoiles, Aton se trouve dans la Nature. Il est la Nature même, il est l'Inexplicable, il faut voir en lui le bon Père ou la Mère qui aiment leurs enfants. Et lorsque le peuple sera mis en confiance, lorsqu'il aura compris cette doctrine, il joindra de lui-même les mains parce qu'il aura trouvé dieu. Mais ce dieu-là n'a pas besoin d'intermédiaire, il est omniprésent pour tous ceux qui l'aiment et même pour ceux qui ne l'aiment pas. »

Arrêtant toutes les constructions luxueuses, Akhnaton avait entrepris d'élever des habitations pour le peuple. Il était dorénavant interdit aux hommes d'habiter dans la même pièce que des animaux, tels que des chèvres. Chaque logement devait posséder son fourneau, car à cette époque on faisait toujours la cuisine devant la maison, et devait également posséder des lieux d'aisance, car autrefois le peuple se soulageait au bord des chemins.

Il n'y avait plus qu'un modèle d'habitation qui était même destiné aux membres de la cour.

La mendicité était donc interdite ; celui qui faisait l'aumône malgré cette interdiction était passible d'une punition. Nul ne devait plus croire les devins ou les sorciers qui prétendaient entendre croître l'herbe.

D'après le communiqué de l'Egyptian Exploration Society, Akhnaton fut l'innovateur de la première cité ouvrière de l'histoire. Les savants l'ont retrouvée, telle qu'elle à Amarna.

La révolution d'Akhnaton n'avait pas fait couler de

sang. Il avait dissous l'armée et il considérait que le soldat représentait la classe la plus basse de la société. L'armée ne recevait plus de solde, et ceux qui persistaient à mener l'existence oisive des militaires devaient ou mendier, ou souffrir de la faim.

Les pays conquis et les colonies se révoltèrent, mais Akhnaton leur fit savoir que le nouveau dieu Aton ne tolérait plus l'oppression et, sur son ordre, l'Empire fut dissous. Il libéra d'abord la Syrie qui, jusqu'à ce jour, avait été la grande pourvoyeuse de filles et de courtisanes : Akhnaton n'était pas dupe de la réputation des Egyptiens à l'étranger, il savait bien qu'on les considérait comme des tyrans. Il lança même cet axiome lapidaire : « Seuls, les Egyptiens morts sont de bons Egyptiens. » Il était décidé à changer la réputation du pays, c'est pourquoi il rappela toutes les troupes d'occupation, ainsi que les commissaires et les gouverneurs, qu'il comparait à des sauterelles envahisseuses ou à de vulgaires voleurs.

Le dieu Amon possédait toutes les richesses, car la terre fertile appartenait aux temples et aux prêtres. Akhnaton supprima la grande propriété et rendit leurs terres aux paysans. De même les riches n'eurent que le droit de garder les terres nécessaires à leurs besoins. Ils durent, eux aussi, payer des impôts et payer et nourrir convenablement leurs anciens esclaves. Les médecins furent obligés de soigner gratuitement les pauvres. Par contre, les gens qui pillaient ou profanaient les temples d'Amon n'étaient pas punis.

A partir de ce moment, les prêtres furent obligés de travailler, et ceux qui en cachaient un chez eux pour le soustraire à cette loi étaient punis. Les percepteurs recevaient des coups de bâton, lorsqu'ils avaient demandé trop d'impôts au peuple ; de même les juges étaient blâmés lorsqu'ils avaient rendu une sentence injustifiée.

Dorénavant, il était interdit de s'enrichir sans travailler, car Aton est le dieu de la Justice. Toutes ces mesures furent appliquées sans violence, sans effusion de sang, car elles étaient dictées par Aton, le dieu de l'Amour...

Akhnaton et Nefertiti avec leurs enfants
(photographie Boudot-Lamotte).

Mais hélas, la masse ne savait que faire de cette subite liberté. Elle manquait de chefs, de buts. Elle ignorait l'esprit de solidarité, et ne sut pas défendre intelligemment ses nouveaux privilèges. Le peuple se révolta contre le roi qui ordonnait à ses sujets d'apprendre à lire et à écrire, préférant l'oisiveté et imitant le mode de vie des anciens riches. En réalité, il ne vit dans sa nouvelle liberté qu'une raison de débauche.

Aussi les adversaires du roi, qui avaient à leur tête l'aristocratie et une armée de prêtres, ne perdaient pas leur temps.

Akhnaton, qui avait seulement détrôné le dieu Amon et fermé ses temples, croyait que les autres dieux tomberaient d'eux-mêmes et que le peuple se convertirait au nouveau dieu, Aton.

C'était une grave erreur, et les prêtres commencèrent à prendre des contre-mesures. Ils réussirent à diminuer la répartition du blé de semence et à augmenter son prix. Ainsi, ils sabotaient le ravitaillement du pays et déclenchaient les premiers mécontentements.

Comme Akhnaton avait interdit l'usage de l'encens qui jusqu'alors avait été la première marchandise d'importation, une grande partie des bateaux se trouvèrent en chômage, et les navigateurs sans travail se montrèrent mécontents. Les anciennes colonies et la Syrie ne fournissaient plus leur or. L'« industrie des morts » avait cessé avec l'interdiction de la momification, et toute l'industrie née de la confection des cadeaux pour les morts était également paralysée.

Les prêtres surent habilement employer tous ces arguments et provoquer la haine. Les sorciers et les voyants au service des prêtres annoncèrent de grandes catastrophes au peuple parce que le dieu Amon avait été déshonoré.

Un jour, une partie du peuple restée fidèle à Amon

se révolta. La révolution éclata avec ses combats sanglants et ses abus.

Le pays était maintenant partagé en deux clans. Celui du dieu Aton comprenait les esclaves et les pauvres qui n'avaient rien à perdre, mais qui apprenaient en même temps que leur liberté était en danger, que la misère, la mort et l'esclavage les menaçaient si le dieu Aton perdait. Les prêtres en appelaient à la guerre sainte. Ils sortaient les armes de leurs cachettes et les distribuaient aux anciens soldats en leur promettant la fortune au nom du dieu Amon. Les anciens propriétaires étaient également de ce parti, ainsi que les eunuques, les nombreux employés des temples, les scribes et généralement tous les mécontents. Un troisième groupe s'était formé, recruté dans la populace. On pillait, on vidait les caves, on incendiait et on violait les femmes. Il y avait partout des incendies et les cadavres s'amoncelaient dans les rues ou étaient simplement jetés dans le Nil. Des nègres révoltés, habillés en soldats, traînaient dans les rues et portaient au bout de leurs lances les têtes des prêtres qu'ils avaient tués.

Ainsi Akhnaton, à l'âge de trente ans, n'eut-il plus à ses pieds que les débris de son empire. Il se plaignit au dieu Aton, mais la défaite d'Aton fut sa perdition.

Akhnaton préconisa une politique de douceur et de justice. Nous pouvons le considérer comme le premier pacifiste de l'humanité, mais sa bonté fut aussi sa faiblesse ; elle devait amener la perte de son régime.

Ses fidèles eux-mêmes se détournèrent de lui. D'abord Nefertiti, son épouse, puis son beau-père, le prêtre Eje, qui avait jadis renoncé à la religion d'Amon pour suivre Akhnaton. Les grands personnages de la cour, les vizirs l'imitèrent et abandonnèrent leur roi comme les rats quittent un navire en péril. Le vizir Titu conclut même un pacte avec le dangereux prince Aziru, bien qu'il ne cessât de protester de son attachement au pharaon. Ainsi qu'en témoignent des lettres en caractères cunéiformes, il le trahit. Même le médecin particulier du pharaon fut infidèle à son maître et en vint même un jour sur l'ordre des prêtres à faire absorber au pharaon une médecine : c'était du poison. Les dernières paroles du mourant furent celles-ci : « Le royaume de l'éternel n'a pas de place sur terre. Tout redeviendra comme autrefois. La crainte, la haine et l'injustice régneront de nouveau sur le monde. Il aurait mieux valu que je ne fusse pas né, je n'aurais pas connu le mal. »

Alors la foule de s'amasser devant les temples d'Amon, car les prêtres venaient de proclamer que leur dieu avait gagné.

Ce fut au tour des nobles, des militaires et des prêtres de déclencher une énorme action vengeresse.

Des milliers d'hommes furent exécutés, les esclaves recommencèrent à travailler dans les carrières pour la plus grande gloire des dieux. Rien ne subsista des réformes d'Akhnaton. Le peuple s'habitua de nouveau au pouvoir auquel chaque Egyptien devait se soumettre, sous peine d'une sévère punition.

Les harems furent reconstitués, en l'honneur du dieu Amon. Les prêtres reprirent leur influence sur le commerce et le grand prêtre redevint le commandant suprême d'une nouvelle armée qui marcha de nouveau contre d'autres pays.

Les riches redonnèrent leur confiance aux temples et y déposèrent de nouveau leur or. Un grand temple qui avait été édifié en l'honneur du dieu Aton devint le temple d'Amon, et un nouveau pharaon devint le dieu suprême. Mais les pauvres recommencèrent à maudire les dieux de les avoir fait naître.

Cette réforme fut suivie d'une Inquisition aussi cruelle que celle de notre Moyen Age. Des hommes furent crucifiés, pendus, brûlés, enterrés vivants ou perdus en plein désert. Et tout ceci donnait lieu à de grands procès spectaculaires à la gloire du dieu Amon.

La nouvelle religion d'Aton avait pourtant porté ses fruits, mais comme tous les fruits exotiques, ils furent fragiles. Le réformateur mort, son nom fut effacé et on l'enterra à côté de son père, ne lui faisant même pas l'honneur d'un tombeau particulier.

Mais Aton survivait dans l'esprit de ceux qui recevaient de nouveau des coups de cravache, de ceux qui avaient tiré le mauvais lot, celui des pauvres.

Trois mille trois cents ans plus tard, les savants pénétrèrent dans le tombeau et purent déchiffrer la prière du roi qui était gravée au pied de son modeste cercueil : « Je respire de nouveau la douce haleine qui sort de ta bouche. Je vois ta beauté chaque jour et j'ai envie d'entendre ta douce voix qui vient de la fraîcheur du vent du nord... »

Cette mention : « qui vient de la fraîcheur du vent du nord... » nous incitait à supposer que la puissante doctrine d'Akhnaton puisait peut-être ses sources chez les peuples indo-germaniques. Elle était aussi étrangère à ce pays que la doctrine du Christ l'était à la Palestine. D'ailleurs, ces deux doctrines ont énormément de ressemblance. Le ciel s'était-il trompé lorsqu'il envoya sur terre ce premier apôtre de l'Histoire, pour prêcher une doctrine de lumière ?

Le roi-prêtre Akhnaton avait sacrifié le roi au prêtre et devait, de ce fait, perdre le pouvoir et la vie.

Le destin veut que la paix, la liberté et la vérité soient méritées au prix de durs combats et souvent de la vie même de celui qui les défend.

Dure loi sur laquelle est basée l'existence de notre monde. La puissance sans idéologie ne peut être efficace, mais l'idéologie est condamnée sans la sauvegarde de la puissance.

Les tempêtes de sable qui avaient enseveli un bel idéal il y a 3350 ans en témoignent. L'Egypte a péri parce qu'elle ne croyait qu'en la puissance de ses armes et qu'elle a négligé la justice intérieure.

Akhnaton avait voulu l'évolution et avait souhaité que l'homme fût libéré d'une religion figée, premier pas vers l'individualisme.

> *Béni sois-tu, toi qui t'élèves dans le ciel !*
> *Toi qui fais briller l'horizon !*
> *Béni sois-tu, Dieu sublime de la Paix !*

Que serait l'humanité, si elle avait pu poursuivre dans cette voie ? Peut-être les hommes auraient-ils été amenés à croire en un seul dieu de Vérité et de Justice, un dieu qui ne flotte pas au-dessus des nuages mais qui est toujours présent dans leur conscience.

Idée trop révolutionnaire pour les prêtres ! Un dieu omniprésent, maître de la nature et de l'univers, les révoltait.

Le successeur du roi Akhnaton fut son fils Sakaré, qui était aussi son gendre, puisqu'il avait épousé la princesse Mérit-Aton. Ce jeune roi disparut très tôt ; il était, semble-t-il, plutôt simple d'esprit.

Au cours d'une partie de pêche dans les bambous

du Nil, il mourut « accidentellement », mort à laquelle le vieux Egé, prétendant au trône, n'était peut-être pas étranger.

Son frère cadet Toutankhaton, âgé de 11 ans et marié avec la princesse Anches-pa-Aton, âgée de neuf ans, lui succéda.

Nous ne pouvons pas définir avec certitude l'origine de Sakaré et de Toutankhaton. Ils étaient probablement frères, et les enfants d'un deuxième lit d'Akhnaton. Les deux princesses avaient pour père et mère Akhnaton et Nefertiti. C'était donc là un mariage incestueux, ce qui était fréquent à l'époque.

Toutankhaton se vit obligé de ramener l'Egypte à l'ancienne religion. Comme preuve de son dévouement, il changea son nom de Toutankhaton en Toutankhamon, de même la reine dut transformer son nom Aton en Amon.

Son règne ne dura que dix ans. Il n'a pas fait construire de temples et la science aurait ignoré son existence si l'on n'avait découvert en 1922 un débris de vase portant son nom. Cependant, lorsque la science fit cette découverte, Toutankhamon devint la grande sensation de l'égyptologie.

La mise au jour de son tombeau est l'histoire la plus romanesque de toutes celles concernant des recherches archéologiques. Elle est encore plus passionnante que les découvertes de Schliemann à Troyes et celle de sir Evans en Crète.

Nous apprendrons au cours des chapitres suivants comment fut découvert le tombeau de ce pharaon et de ses deux enfants mort-nés. Mais, ne terminons pas le chapitre d'Akhnaton, sans parler encore une fois du poète merveilleux qu'il était, en citant un de ses poèmes :

◄ *Statue du pharaon Horenheb, musée des antiquités (Turin)*
(photographie Alinari-Giraudon).

Soleil vivant quand tu montes dans le ciel tous les
[*matins*
Dans ta beauté incomparable, au-dessus de la terre
Tu embrasses de ton amour tous les pays que tu as
[*créés*
Tu es Dieu, tu es Râ !
Tu es loin mais tes rayons rendent le sillon fertile
Et l'herbe pousse lorsque tu as baisé la terre.
Soleil tu nous as donné l'Hiver rafraîchissant
Tu as créé l'Eté
Qui nous apporte le fruit et la vie
Et le paysan qui récolte la nourriture des hommes
Vois, ils lèvent leurs mains vers toi
Ils prient lorsque tu te lèves
Et que tu quittes ta couche nocturne.

Il est bien triste que cette conception de la nature n'ait pas duré dans l'esprit des humains.

Les Anciens pratiquèrent toujours le culte du soleil puisqu'il était pour eux le symbole de la vie.

Ainsi disparut la personnalité la plus étrange et la plus remarquable de l'histoire égyptienne et de l'histoire mondiale avant l'arrivée des Hébreux.

Plus tard, on enseigna en Egypte « l'histoire du profanateur Akhnaton ». Avec Akhnaton disparut un esprit comme le monde n'en avait pas encore connu, et bien que l'histoire parût le blâmer, parce qu'il avait laissé glisser de ses mains la direction de l'empire, il n'en a pas moins été un très grand homme.

Son esprit audacieux s'était opposé sans crainte aux vieilles traditions religieuses et il fut le seul à sortir du cadre des nombreux pharaons dépourvus de personnalité.

Huit cents ans plus tard, nous trouvons plus souvent des hommes de ce genre chez les Hébreux. Mais il faut que le monde moderne apprécie à sa juste valeur la première personnalité idéaliste de l'Histoire, à une époque où tout s'opposait à la grandeur de ses idées. Akhnaton, à sa manière, fut unique.

Amarna, la ville du dieu solaire Aton, eut une brève histoire, mais une vie politique mouvementée. Une fois de plus, ce sont des peintures et des inscriptions funéraires qui nous la font connaître. Voici la tombe de Hujes, maître de la cour d'Akhnaton, celle de Mahus qui fut chef de la police, non loin d'elle se trouve la tombe du prêtre Eje et de sa femme, père et mère de la reine Nefertiti ; celle-ci n'est pas éloignée non plus du tombeau du vizir Tuto. Mais on a trouvé plus encore. On découvrit dans les promontoires rocheux de Wadi la tombe d'Akhnaton. Une inscription proclame : « Je veux reposer dans les montagnes de l'est... » Tout près se trouve la tombe de Nefertiti richement ornée de peintures et d'inscriptions. L'une d'elle vante la morte en ces termes : « Héritière jouissant de toutes les faveurs, dominatrice pleine de grâce, reine du Sud et du Nord, au visage lumineux, parée de joyaux, aimée d'Aton, riche d'amour, épouse favorite du roi, Nefertiti qui vit éternellement. »

Dans la tombe du scribe de cour Amohse, une prière adressée à Aton était conçue en ces termes :

« Accorde longue vie au roi et une paix constante. Donne-lui ce que son cœur désire, autant qu'il y a de sable dans la mer, que les poissons ont d'écailles, que les enfants ont de cheveux. Permets-lui de séjourner sur terre jusqu'à ce que le cygne voie noicir son plumage, tandis que celui du corbeau blanchira et

que les montagnes marcheront... Cependant, je pour-
suivrai ma route afin de servir mon roi jusqu'à ce
qu'il m'accorde ma tombe... »

Toutes ces tombes furent creusées du vivant de
leurs possesseurs, mais aucune ne fut jamais utilisée,
car la défection à l'égard d'Aton et l'effondrement
politique qui en résulta furent par trop précipités.
Amarna, la ville du soleil, fut abandonnée avec une
telle hâte que l'on oublia d'emmener les chiens du
pharaon, enfermés dans un chenil. Leurs squelettes
que l'on a retrouvés en témoignent. De peur des
démons, nul ne franchit désormais les portes de la
ville. Au cours d'une longue suite d'années, elle s'ensabla. Ce furent les savants modernes qui la découvrirent et la rendirent à la lumière.

Une importante découverte fut également faite à
Amarna : les fellahs recherchaient souvent dans les
vieilles murailles de la terre contenant du salpêtre
dont ils se servaient comme engrais. En 1887, une
fellahine occupée à creuser le sol heurta d'étranges
objets de terre cuite qui ressemblaient à des galettes
effritées. Elle les mit au fond d'un sac et alla trouver
un marchand dans l'espoir qu'il lui en donnerait
quelques piastres. Mais des manipulations par trop
rudes mirent la plupart de ces objets en miettes. Un
esprit inventif envoya ces tablettes de terre cuite à
Paris d'où l'on répondit, des mois plus tard, que ces
tablettes étaient des *faux*.

Les Arabes continuèrent à chercher du salpêtre
et, ce faisant, détruisirent d'autres tablettes ; enfin, on
dut reconnaître que l'on avait découvert des archives
de l'époque d'Akhnaton. C'étaient des tablettes couvertes de caractères cunéiformes provenant de
l'Orient. Certaines avaient été détruites par les cher-

cheurs de salpêtre ; trois cent cinquante, cependant, purent être conservées.

Ainsi qu'il a déjà été dit plus haut, Nefertiti ne mit au monde que des filles. Akhnaton avait prévu que ce fait amènerait des complications dynastiques. Aussi épousa-t-il une concubine qui lui donna deux fils, Sakaré et Toutankhaton. Sakaré, enfant maladif, dut épouser sa sœur, Mérit-Aton (fille de Nefertiti) et monter sur un trône secondaire. Ce mariage ne dura que quelques mois, puis le jeune époux mourut.

Etait-ce par extrême souci de sauvegarder son trône ou quelque autre raison qu'Akhnaton, qui plus tard vécut séparé de Nefertiti, épousa une de ses filles qui cependant ne lui donna qu'une fille ? Lorsque mourut Akhnaton, les intrigues redoutées du pharaon se nouèrent nombreuses ; les prêtres d'Amon prétendaient élever au trône leur grand prêtre Bekanchos, mais Nefertiti et son parti triomphèrent dans cette lutte pour le pouvoir de Tantankhaton. Celui-ci épousa sa sœur Enches-Aton, fille de Nefertiti et monta sur le trône. Lorsque ces événements eurent lieu, le roi était âgé de onze ans et son épouse de neuf.

Le jeune roi recueillait un lourd héritage car l'Egypte était épuisée par les dissensions politiques. Les prêtres d'Amon s'efforçaient de ramener la vie religieuse, politique, comme l'administration, dans l'ancien chemin, mais les nombreux adeptes d'Aton s'y opposaient.

Enfin, le dieu Amon remporta la victoire. Le pharaon l'apprit à son peuple par un décret officiel. Un « concordat » entre les prêtres d'Amon et le pharaon rétablit le culte d'Amon en tant que religion d'Etat. Toute justice émanait de la vérité. Justice et vérité étaient du ressort des prêtres, seuls capables d'en décider sainement. Car les prêtres d'Amon devaient être considérés comme infaillibles. L'Etat devait veiller à l'entretien des temples et à celui des prêtres, auxquels il avait le devoir d'assurer une existence digne du rang de ceux qui élèveraient le peuple dans l'humilité. Prêtres et prêtresses ne devaient plus être cités devant les tribunaux.

En ce qui concernait les privilèges du pharaon, celui-ci aurait à nouveau l'avantage d'être adoré comme un dieu au cours des cérémonies religieuses.

Le roi, pour avoir abandonné un pouvoir qui ne lui appartenait pas, retrouvait l'honneur d'être pharaon. Afin de marquer ce changement de manière à impressionner le peuple, le roi et la reine firent suivre leur nom de celui du dieu remis en faveur : Toutankhamon et Enches-Amon. Après cette réunion solennelle du trône et de l'autel, des processions eurent lieu dans toute l'Egypte. Ce fut à Thèbes que les cérémonies de réhabilitation furent les plus grandioses. Après bien des années d'humiliation, le bélier, image du dieu national, fut à nouveau montré au peuple qui, cependant, ne manifesta pas sa joie comme dans le passé.

On remit les ciseaux à l'ouvrage afin de faire sauter sur les monuments tous les emblèmes rappelant le pharaon hérétique. Pour les partisans d'Aton qui voulaient s'opposer au concordat, ces concessions furent une rude épreuve.

Toutankhamon n'a régné que neuf ans et il mourut subitement. Les drames politiques et les drames intimes qui suivirent cette mort nous sont racontés au mieux par sa tombe. Prenons donc le chemin de Thèbes à la suite des savants qui la recherchèrent.

CHAPITRE VIII

Des savants retrouvent la tombe de Toutankhamon

A 740 KILOMÈTRES en amont du Nil se trouve Thèbes, autrefois capitale et résidence préférée des pharaons. Tout ce que le commerce de l'époque pouvait offrir comme trésors y affluait à titre de butin de guerre. C'est à Thèbes que furent rendus les plus grands honneurs au dieu Amon.

On y voit des temples magnifiques. Sur les deux rives du Nil se dressent des colonnes, des pylônes et des obélisques.

Bien qu'un tremblement de terre (en l'an 27 av. J.-C.) ait ébranlé des masses de pierre et fait tomber quelques monuments, nombre de ceux-ci sont demeurés intacts. On observe avec étonnement la façon de construire des Anciens car ils n'avaient pas utilisé de mortier pour lier les différentes parties des bâtiments. Les pierres avaient été si exactement taillées et ajustées que le tout tient depuis des milliers d'années. Les multiples inscriptions sur les colonnes et sur les murs, si bien conservées, parlent clairement des divinités et de l'histoire de ce pays.

Après avoir admiré l'architecture de l'immense ville de Thèbes, Homère nous dit : « Thèbes, ville d'Egypte

Vue générale de la nécropole de Thèbes (Photographie Roger-Viollet). ▶

où les maisons sont riches en trésors, a des centaines de portes et de chacune partent sur leurs chevaux deux cents guerriers brillamment armés. »

Sur la rive gauche du Nil, dans un paysage désertique limité à l'ouest par des montagnes et des carrières, avait été construite la nécropole de Thèbes. Au cours des siècles, les Egyptiens y avaient établi leur cité des morts.

Dans cette « Vallée des Rois », de nombreux temples furent édifiés et davantage encore de tombeaux de rois, du plus haut intérêt.

Les classiques eux-mêmes, que ce fussent Diodore, Strabon ou Pline, appelaient Thèbes la « grande ville ». Le lecteur sait déjà que les rois, jusqu'à la Xe dynastie, régnèrent à Memphis et à Abydos et qu'ils vénéraient, comme dieu principal, Horus incarné en un faucon. Des courants politiques nouveaux, des bouleversements de régime rendirent nécessaire pour la XIe dynastie le choix de Thèbes comme capitale, tandis que, dans le panthéon des divinités, Amon fut considéré comme le dieu national.

Dans l'Antiquité, nulle ville ne lui était comparable ; Athènes elle-même ne pouvait rivaliser avec elle. Thèbes était unique ! L'esprit qui émanait d'elle se reflète dans le monde chrétien, bien plus que dans l'esprit grec ! Ce fut le développement de la civilisation égyptienne qui permit l'élévation de l'humanité occidentale à la vie spirituelle.

Dans les quartiers ouest de Thèbes, à gauche du Nil, on créa la nécropole composée de tombes et de temples des morts. De toutes les merveilles de l'Egypte, ce qui se passa dans cette Thèbes émeut le plus profondément, d'une manière où entre un sentiment fait de romantisme et de curiosité.

Dier el-Bahri signifie Vallée des Rois. C'est là que l'on trouve, dans un lieu à la fois secret et sauvage, les retraites des rois. A Biban el-Harim reposent les épouses de ces monarques. Dispersées alentour, sont les tombes des prêtres, des fonctionnaires. Dans les vallées voisines, on trouve des fosses communes destinées au peuple et aux soldats, les catacombes des masses. Les tombes des riches parlent de splendeurs ; dans les catacombes, les momies étaient empilées comme des ballots d'étoffe.

Plus de trois cent cinquante chapelles funéraires ont été cataloguées. Là où jadis s'élevaient les hymnes pieux des prêtres, on n'entend plus que les hululements de la chouette et l'appel du chacal. Dans l'intérieur des tombes, les chauves-souris tapissent les plafonds.

Le lecteur doit se représenter la ville funèbre habitée par nombre de vivants auxquels la mort procurait le travail et le pain. Monde étrange, auquel des montagnes évidées, des gorges longues de plusieurs kilomêtres composent un cadre. La plus haute cime montagneuse, cette « corne » qui ressemble à l'extrémité d'une pyramide, domine les alentours de ses 489 m et préside ce monde funèbre.

Depuis des siècles, le soleil déverse sa clarté du sein d'un ciel sans nuages ; au cours des siècles, il a peu à peu tout transformé en désert. Pourtant, c'est une belle vision que ce mausolée de quatre-vingts générations ! Pour les Grecs et les habitants de la péninsule italique, Thèbes était un but de voyage fort apprécié.

On a beaucoup creusé la terre égyptienne, surtout à Thèbes. Déjà, les Grecs y ont fait des recherches. Ils ont découvert quarante tombeaux qu'ils ont tous pillés. Puis ce monde s'enveloppa d'oubli, parce que les fellahs, qui connaissaient l'existence de trésors dans leurs terres, considéraient tout étranger comme un intrus et l'abattaient sans autre forme de procès.

Ce ne fut qu'au XVIII° siècle que des Européens tentèrent d'approcher Thèbes. En 1378, le Danois Norden réussit à visiter rapidement quelques temples, mais il dut fuir devant les brigands. Quelque 25 ans plus tard, l'Allemand Carsten Niebur put faire quelques études, mais il finit par être pillé. Il en alla de même pour l'Anglais James Bruce, mais l'Anglais Richard Pococke eut plus de chance. D'après *A description of the east,* écrit par lui, il découvrit quatorze tombes, mais tout en travaillant il ne se sentit pas très à son aise. Seule, l'expédition guerrière de Napoléon, en 1798, changea la situation. Plus tard, l'insécurité régna à nouveau.

Enfin vint le sauveur. Parmi les Turcs qui luttaient contre Napoléon, se trouvait un Albanais. D'abord colporteur, il devint soldat, capitaine fameux, enfin pacha et, en 1805, maître de l'Egypte : Mohammed Ali.

En 1807, avec l'aide des Mameluks, il chassa les Anglais, mais en 1811, il eut raison des dangereux Mameluks. Un jour, il invita quatre cent quatre-vingts de leurs chefs parmi les plus fanatiques à un repas de fête dans la citadelle du Caire. Comme ils se trouvaient tous au beau milieu d'un festin, fort occupés à boire et à manger, ils furent assaillis par la garde de Mohammed Ali et assassinés. Un effroyable bain de sang ! Mohammed Ali dut encore, il est vrai, réprimer les révoltés de quelques sectes fanatiques, mais la paix et la sécurité s'établirent en Egypte et l'on put enfin s'y livrer à des recherches archéologiques.

Il n'est pas sans intérêt de remarquer que bien des passionnés d'égyptologie devinrent des savants par goût ou par simple hasard. Tel fut le cas de Giovanni Belzoni qui, selon la volonté de ses parents, eût dû devenir moine mais qui, après un séjour en Angleterre où il s'était mis à l'abri des désordres politiques de son pays, s'en fut par le fait d'un hasard en Egypte. Au goût des affaires s'ajouta bientôt chez lui celui des recherches dans le domaine de l'Antiquité. Il rêva d'abord d'amener les colosses de Memnon à Londres. Mais la témérité de cette entreprise lui apparut bientôt. Il se borna donc à découvrir des momies. Nous lui laissons la parole :

« L'air étouffant à l'intérieur des couloirs des grandes tombes me mettait dans un état proche de l'évanouissement. Une poussière impalpable montait du sol des catacombes, elle pénétrait dans les yeux et le nez. Les poumons luttaient avec peine contre les émanations provenant des momies. Les couloirs souterrains couraient sur une longueur de 300 m sous terre. Les momies se trouvaient entassées en ce lieu par monceaux, vision qui m'emplit d'horreur. Le fellah à demi nu qui m'accompagnait, une chandelle à la main, semblait être lui-même une momie... Après mes fatigues dans les couloirs étouffants, je cherchais un endroit où me reposer un peu. M'étant assis dans l'obscurité, j'eus le désagrément de sentir une momie s'effondrer auprès de moi et m'ensevelir dans ses débris. Les ossements pourris, les bandelettes et le cercueil dégagèrent une telle poussière que je ne pus bouger avant un long moment. »

C'était l'époque où tout objet antique pouvait être acquis à bas prix. On ignore combien de momies furent vendues par Belzoni en Europe. On l'appelait

« le collectionneur ». Sans le moindre sens de l'art ou de l'histoire, il allait son chemin, qui, selon ses successeurs, était « à faire dresser les cheveux sur la tête ». Il enfonçait les portes des tombeaux avec un bélier afin d'aller plus vite en besogne.

Heureusement, nombreux furent ceux qui, plus tard, apportèrent dans leurs recherches des méthodes plus honnêtes. Citons François Chabas, un Français, négociant en vins, Charles Goadwin, un juriste anglais, Garies Davies, pasteur anglais, Théodore Davis, avocat américain. Celui-ci entreprit des recherches qui furent couronnées de succès. En dix ans, il découvrit les tombes de Thoutmosis IV, de Horemheb, de Spitah, et celle de la reine Hatshepsout. Finalement, il trouva aussi celle du prêtre Jua et de sa femme Tua. La découverte de ce tombeau « conjugal » fit sensation parce que exceptionnellement il était inviolé. Les momies se trouvaient en parfait état de conservation, on se serait cru à leur lit de mort. La momie du prêtre semblait avoir une peau et une chair encore souples. Le menton était couvert d'une barbe de quelques jours, le nez, la bouche, les joues, les yeux même avaient à peine changé d'aspect.

Une autre tombe contenait le cercueil de la reine Teje, des pots à fard, un catafalque. Le cercueil aux couleurs merveilleuses était surprenant. Mais la tombe avait été violée.

Un jeune assistant travaillait sous les ordres de Théodore Davis. C'était un dessinateur du Musée du Caire qui ne tarda pas à céder à la magie de la science archéologique : Howard Carter, dont il a déjà été parlé plus haut.

Davis et Carter ont fait des fouilles dont la valeur

ne fut pas toujours égale, mais en 1908, ils trouvèrent une cachette contenant des pots de poix qui avaient été exposés à la flamme et qui contenaient des bandelettes et autres objets qui accompagnent les momies. La découverte paraissait de peu d'importance et eût été vite oubliée, si Herbert Winlock du Metropolitan Museum n'avait pas remarqué plus tard que les couvercles des pots, ainsi qu'un gobelet de faïence, portaient le sceau du roi Toutankhamon. Une bandelette portait également ce nom. C'étaient les premiers signes recueillis ayant trait à ce pharaon. Sa tombe existait-elle encore intacte ? Davis estimait que la Vallée des Rois était épuisée, Carter par contre espérait retrouver un jour cette tombe. L'événement qui eut lieu au cours des années suivantes compte parmi les découvertes archéologiques les plus sensationnelles.

Le hasard vint à son secours.

C'était en 1909 en Allemagne, dans le Taunus, près de la station balnéaire de Langenschwalbach. Une voiture dérapa et fut précipitée dans un fossé. Son conducteur, lord Carnarvon, qui se rendait auprès de sa famille, fut assez gravement blessé. Son médecin lui conseilla une convalescence, d'abord sur la Côte d'Azur et ensuite en Egypte, le pays des Antiquités.

Les acheteurs principaux d'objets d'art sont généralement les savants qui négocient pour le compte de leur musée, ou des touristes fortunés qui, eux, achètent non seulement dans des magasins sérieux, mais également au marché noir des antiquités.

Parmi ces objets, se trouvent beaucoup de copies, c'est pour cette raison que le collectionneur d'antiquités doit posséder de sérieuses connaissances ; la plupart des grands collectionneurs se sont formés lors de leur séjour en Egypte. Ainsi en fut-il de lord Carnarvon. Mais il alla encore plus loin, il voulait entreprendre des fouilles et il s'adjoignit, comme conseiller, l'égyptologue Howard Carter.

Leurs entreprises leur apportèrent beaucoup d'espoirs, des déceptions puis des succès, et finalement la mort.

Avec une persévérance extraordinaire, Carter insistait pour découvrir, dans une certaine partie de la vallée, le tombeau de Toutankhamon, mais en vain. Des montagnes de terre avaient été remuées, lorsque la Première Guerre mondiale éclata et les recherches durent être arrêtées. Vers la fin de 1917, le savant recommençait. Il embaucha des centaines de fellahs, remua de nouveau la terre pendant deux ans et, une fois de plus, ne trouva rien.

Au cours de la troisième année, Carter découvrit dans le sable des fondations d'anciennes cabanes d'ouvriers, mais ce fut tout. La quatrième année s'écoula sans autre résultat. Les chances de succès diminuaient considérablement, d'autant plus que des voix compétentes répétaient aux chercheurs : « La vallée est épuisée. » Lorsque la cinquième année, avec sa lourde charge de déceptions, se termina, leurs finances étaient épuisées.

Carter et son commanditaire tinrent des conciliabules. Devaient-ils continuer les recherches ou les arrêter ? Ils firent encore une fois le tour de toutes les raisons pour ou contre, mais on leur disait de nouveau que la vallée était épuisée et que tous leurs efforts seraient vains. En effet, depuis quelques dizaines d'années on avait découvert des tombeaux : soixante-deux en tout, mais tous avaient été pillés.

Pendant des siècles, la vallée avait servi de repaire aux bandits, et un récit du XVIIᵉ siècle nous rapporte qu'il était extrêmement dangereux d'y pénétrer. Il avait même fallu envoyer des expéditions punitives pour chasser ces indésirables.

Tous ces faits n'étaient pas pour encourager les deux hommes à poursuivre des fouilles et ces cinq années de travail stérile auraient dû les décourager. C'était un triste bilan ! Néanmoins, tant que subsistait quelque espoir, les deux chercheurs étaient décidés à poursuivre leurs travaux. Ils résolurent de continuer pendant un an encore.

En plein désert, dans des conditions inimaginables et subissant les pires privations, il fallait un idéal puissant et beaucoup de courage pour recommencer une sixième année. De nouveau, d'immenses masses de terre furent remuées et des centaines d'ouvriers s'acharnèrent, entraînés par l'espoir des savants. De nouvelles semaines sans résultats s'écoulèrent et Carter commençait à douter de ses chances, mais comme il arrive souvent dans les entreprises des hommes, au moment où l'espoir faiblit, une étincelle, une idée géniale sauve tout.

Carter eut cette idée : les fondations des cabanes d'ouvriers ! On trouvait toujours à côté des tombeaux les fondations d'habitations d'ouvriers et ici même les baraques récentes les avaient utilisées.

Carter ordonna de démolir l'une d'elles. Le travail fut exécuté avec la lenteur habituelle sous ces latitudes. Lorsqu'il revint le lendemain matin, personne ne travaillait. Que s'était-il passé ?

On avait découvert, sous les fondations de cette baraque, un escalier de pierre, juste trois marches et rien de plus ; mais les fellahs, avec une certaine intuition, avaient cessé leur travail et attendaient leur maître.

De nouveaux espoirs furent éveillés et tout le monde se mit fiévreusement au travail. Carter ne pouvait plus supporter cette incertitude et même les ouvriers étaient pris par la fièvre de la découverte et travaillaient, comme s'il s'agissait de sauver des vies humaines. Après trois heures de travail, ils avaient mis au jour quatorze marches, mais ils furent arrêtés, car une sorte de porte scellée avec du mortier leur barrait la route.

Chose étrange, on découvrait dans le mortier les empreintes d'un sceau qui avait dû être appliqué des milliers d'années auparavant. Une certitude ! Ensevelie dans la terre, on avait découvert une porte scellée qui portait un sceau connu des égyptologues : un « chacal et neuf prisonniers ». Que se cachait-il derrière cette porte ? Peut-être un tombeau inachevé, une chambre à provisions pour la cité des morts ? Un tombeau plein de trésors ? Ou l'appartement modeste d'un prêtre ?

Mille espoirs envahissaient le cerveau du savant, mais il n'osait pas penser au tombeau d'un pharaon, car il n'y avait pas le sceau royal. Très correctement et loyalement, Carter fit recouvrir de terre les escaliers et télégraphia à Londres à Lord Carnarvon : « Ai fait une magnifique découverte dans la vallée. Tombeau avec sceau intact. Ai tout refermé en attendant votre arrivée. Félicitations. »

En l'attendant, les travaux avaient cessé, la terre avait recouvert ces quatorze marches et de nombreux gardes veillaient sur le secret du tombeau.

Carter, qui avait quitté le désert, était parti pour Le Caire où il fit fabriquer tout de suite une porte en fer, qui devait remplacer la porte scellée. L'incertitude et l'impatience lui firent passer des nuits d'insomnie. Mais les nouvelles se répandent vite et les journaux en parlaient. Ce qu'ils écrivaient n'était que des suppositions et des exagérations. Carter recevait des télégrammes de félicitations du monde entier, mais dans sa modestie innée il se demandait pourquoi il n'avait trouvé que quatorze marches et une porte scellée.

Il aurait pu évidemment forcer tout de suite cette porte pour savoir ce qu'il y avait derrière. Pourquoi ne le fit-il pas ? Le caractère de Carter était trop loyal et trop correct et il pensait qu'il devait à son commandidaire la primeur de cette découverte.

Quinze jours plus tard. Carnarvon était arrivé. En un après-midi, l'escalier était de nouveau dégagé et cette fois, on mit au jour deux marches de plus. Ces deux dernières marches avaient été couvertes par les débris et la partie inférieure de la porte se trouvait dégagée.

Mais la plus magnifique surprise les attendait : on découvrait maintenant le sceau royal de Toutankhamon, que Carter n'avait pu voir tout d'abord.

C'était un cas unique dans l'histoire de l'égyptologie : jamais de telles portes ne portaient deux sceaux à la fois. Le savant trouva très vite l'explication de cette particularité. Ces portes devaient mener vers le tombeau de Toutankhamon qui, certainement, avait été pillé dans les temps anciens. Ce pillage découvert, les responsables de la Cité des morts avaient rescellé les portes au moyen d'un sceau de leur fabrication ! Certains maintenant que, dans le temps, les pillards les avaient devancés, les nerfs des deux savants devaient subir encore une dure épreuve, surtout lorsqu'on découvrit dans les débris quelques inscriptions portant les noms Akhanton, Sakaré, Thoutmosis III et même celui d'Aménophis. Que signifiaient tous ces noms de rois ? Carter était maintenant conscient qu'il n'avait pas découvert un tombeau royal, mais une ancienne nécropole, qui, par-dessus le marché, avait déjà été pillée.

Le lendemain, on copia et on photographia la porte mystérieuse. On la perça, on enleva les débris, et finalement on accéda à un couloir qu'ils obstruaient, à la hauteur d'un mètre. Pour y pénétrer, il fallut d'abord déblayer. On trouva des coupes, des vases en albâtre et des étuis. Ce désordre prouvait qu'un pillage avait eu lieu, car les architectes n'auraient jamais osé laisser un tombeau dans un tel désordre. Après une nouvelle nuit de travail, on put pénétrer dans le couloir. Mais au bout de 7 m, les chercheurs se trouvèrent devant une deuxième porte scellée, elle aussi, avec deux sceaux différents.

Animé par une grande volonté mais les mains tremblantes, Carter s'arma d'une grande barre de fer et perça ce mur ; mais après l'avoir traversé il ne rencontra pas de résistance. Rien que l'obscurité complète.

Il élargit vite le trou et fit un examen à la flamme à cause de l'existence éventuelle d'un gaz asphyxiant. Il n'éprouva qu'une très grande chaleur sortant de la cavité. Lorsque le trou fut assez large, Carter y passa le bras muni d'une bougie et ses yeux virent des choses étranges : des animaux, des statues et de l'or brillant. Emerveillé, il élargit encore le trou. Tout le monde put alors voir à la lueur des chandelles une pièce, restée dans l'obscurité complète pendant trois mille trois cent cinquante ans, mesurant 8 m sur 3,60 m, emplie de civières en or, de statues, de grandeur naturelle, chaussées de sandales d'or, de magnifiques bahuts, d'armoires, de lits, de sièges et de vases contenant encore des fleurs séchées. Tous ces objets se trouvaient dans un désordre indescriptible. Avant la tombée de la nuit, on reboucha le trou et l'on posta des sentinelles devant le couloir. Carter n'allait plus être longtemps le seul à connaître son secret ! Sa découverte allait devenir pour le monde entier un événement sensationnel, et le gouvernement égyptien, dont l'intérêt avait été très vif, lui assura toute l'aide dont il avait besoin. Le lendemain il fit installer la lumière électrique et abattre le mur en entier. Lorsque les lampes puissantes illuminèrent la pièce, les savants se trouvèrent devant un spectacle extraordinaire. Une multitude d'objets étaient entassés jusqu'au plafond, haut de 4 m. La plupart d'entre eux portaient le sceau de Toutankhamon.

Maintenant, ils étaient certains que Carter avait découvert un tombeau de roi.

Bien que leur joie fût immense, on déplora que des voleurs aient pu pénétrer avant eux par une armoire qu'ils avaient forcée et dont le contenu était dispersé à même le sol : c'étaient des vêtements précieux privés de leurs pierreries, un coffre brisé, etc.

Aux destructions par la main des hommes s'ajoutaient celles du temps. Des perles étaient tombées en poussière, que Carter voulut recueillir, ainsi que presque tous les vêtements et les objets précieux. Trois mille cinq cents ans de sommeil avaient anéanti ces fragiles créations. Par contre les objets en métal ou en terre cuite n'étaient pas endommagés. Les objets en bois qui avaient supporté des milliers d'années l'air chaud de cette pièce, étant soudainement soumis à des

Calice pour l'immortalité du bienfaiteur de Thèbes. Musée du Caire (photographie Giraudon).

influences nouvelles, se mirent à craquer de manière sinistre.

Avant de poursuivre les fouilles, il fallait déménager tous les trésors. Carter, qui était un homme consciencieux et méthodique, au lieu de charger de gros camions et de disperser toutes ces valeurs dans les musées ou sur le marché des antiquités, se procura d'abord au Caire des instruments de photographie, un énorme matériel d'emballage, du bois, de la toile et 2000 m d'ouate ainsi qu'une grande quantité de pansements. Il embaucha ensuite tout un état-major : un chimiste, un spécialiste des inscriptions, un spécialiste de l'anatomie, de l'histoire de l'art ancien, un photographe et des artisans spécialisés. Après avoir fait construire une chambre obscure, un laboratoire et des hangars bien fermés pour la conservation de tous ces trésors, Carter se mit à l'œuvre.

Tout fut numéroté, photographié, enregistré, conservé, proprement emballé et ensuite transporté. Nous pouvons nous faire une idée de l'importance de ce travail, quand nous apprenons qu'il a fallu à Carter dix années pour le déménagement du tombeau de Toutankhamon. Cet énorme laps de temps peut nous étonner, mais lorsque nous connaîtrons le nombre de tous ces trésors, uniques au monde, nous comprendrons. Il est étrange que Carter n'ait jamais publié de rapport sur ses travaux scientifiques, peut-être n'en a-t-il pas eu le temps ?

Les deux premières pièces remontées à la lumière du jour étaient deux urnes d'albâtre. L'une représentait une fleur de lotus symbolisant la vie éternelle. Sur ces deux urnes tout en forme de bourgeons, des inscriptions indiquaient la date de naissance et les titres du roi : « O Maître du trône et du monde », « Roi du Ciel », et plus bas : « Vive Horus, le puissant taureau de noble naissance, maître des lois. Loué soit son esprit ! »

L'autre était une lampe à huile, sans inscription, représentant trois fleurs de lotus, symbolisant les trois dieux de Thèbes.

On devait trouver une multitude de ce genre d'objets, qui sont autant de preuves de l'art consommé de cette période.

Parmi les nombreux coffres que Carter mit au jour, il faut en mentionner un en albâtre. Ses ornements étaient profondément gravés et colorés. Les poignées étaient en obsidienne et portaient en hiéroglyphes les noms du couple royal. Un autre coffre en bois était

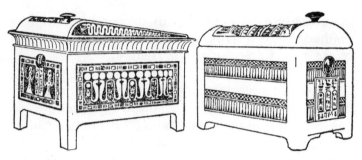

Deux coffres parmi beaucoup d'autres, chacun mesure environ 1,10 m de long, 60 cm de hauteur et a une profondeur de 45 cm

*Coffret, 42 cm de hauteur
49 cm de large*

*Lampe d'apparat,
52 cm de hauteur*

Siège de prêtre

*Lampe d'apparat,
51 cm de hauteur*

incrusté de faïence bleue et de stuc doré. Ces incrustations représentaient des serpents et le disque solaire.

Malheureusement, le contenu de tous les coffres avait été pillé par des voleurs. On y trouvait toutefois de belles sandales et des vêtement enrichis de perles, dont l'un était orné de trois mille petites roses en or. On trouva encore un coffre qui était certainement le plus beau au point de vue artistique. Il était entièrement couvert de figures en stuc peint, reproduisant des scènes de chasses et de batailles. La finesse de cette exécution est unique. Trois grandes civières de morts que l'on n'avait vues, jusqu'alors, que sur les peintures d'autres tombeaux, se trouvaient contre le mur du côté ouest.

Ce tombeau fournit les premiers modèles originaux de ces étranges moyens de transport en forme d'animaux. Le premier portait des têtes de lions, le deuxième des têtes de vaches et le troisième d'étranges têtes, moitié hippopotames moitié crocodiles. Elles étaient entièrement dorées.

Nous ignorons à quoi ces objets pouvaient servir. Près de ces civières, se trouvaient un lit en bois peint, une chaise et un fauteuil en roseaux. L'on y voyait aussi un carquois avec ses flèches et un arc richement doré couvert de fines incrustations. De beaux récipients d'albâtre, taillés et incrustés de faïence bleu turquoise, contenaient, entre autres trésors, un habit de prêtre en peau de léopard, orné d'étoiles d'or et d'argent. La tête était dorée et incrustée de verre.

Il y avait également un très beau scarabée en or, une bouche en feuilles dorées, un sceptre en or massif, de très jolis colliers de bois et un très grand nombre de bagues d'or. Les voleurs avaient dédaigné ces merveilles. Quatre chandeliers de bronze et d'or rappellent l'époque de l'art décoratif. Dans l'un d'eux, il y avait même une bougie intacte.

Un autre coffre contenait de nombreuses tuniques du roi. Sur la deuxième civière étaient posés un lit de bois blanc, une chaise et un fauteuil. Au-dessous, une boîte ronde en ivoire incrustée d'ébène et une paire de castagnettes recouvertes d'or, dédiée à Nistra, la déesse de la joie et de la danse. De nombreux vases contenaient de la nourriture. A côté se trouvaient des pots entièrement dorés et incrustés de verre, de faïence et de pierres précieuses, ainsi qu'un petit fauteuil, datant certainement de l'enfance du roi. Une grande armoire carrée, munie de doubles portes, attirait l'attention. Elle était également dorée et couverte d'hiéroglyphes, relatant la vie matrimoniale du pharaon. A l'intérieur, on découvrit le socle destiné à une statue, sans doute en or massif, qui avait dû être enlevée par les visiteurs indésirables.

A côté de cette armoire, se trouvait une grande statue du roi peinte et dorée. Dans l'Au-delà, cette statue devait remplacer sa momie, au cas où cette dernière aurait subi une détérioration.

Dans un coin, les carrosseries et les roues de quatre voitures à deux axes, le tout doré. Le bois se trouvait encore en très bon état, mais le cuir des harnais avait tellement rétréci qu'il fallut longtemps pour deviner sa forme originelle. Sur une des voitures, un baldaquin magnifique, semblable à ceux qu'emploie encore l'Eglise chrétienne d'aujourd'hui. Ces quelques objets mentionnés ne sont qu'un petit exemple de tout ce qu'avaient su réaliser les Anciens.

Dans cette chambre on trouva environ six cent cinquante objets et il faudrait rédiger un épais catalogue pour les mentionner tous. Le nombre de ces pièces permet d'imaginer le travail que les savants eurent à fournir pour enregistrer, cataloguer et conserver chacune d'elles.

L'activité des voleurs était clairement démontrée, car une écharpe du roi, tombée à terre, enveloppait huit lourdes bagues de prix. Un détective en déduirait même que les pillards avaient été dérangés et s'étaient enfuis.

D'autres objets d'or dispersés sur le sol viennent à l'appui de cette hypothèse.

Au cours de ses travaux, Carter fit deux découvertes importantes. Deux grandes statues masculines grandeur nature, en bois noir, étaient appuyées contre le côté ouest de la chambre. Leurs coiffures — têtes de vautour avec le serpent — leurs bracelets et leurs sandales étaient dorés.

Ces deux figures, postées comme des gardiens, étaient appuyées contre le mur et, entre elles, restait un espace de la dimension d'une porte.

En frappant contre le mur, Carter rencontra un creux derrière celui-ci. D'ailleurs, en tâtant toutes les parties du mur, on avait découvert de nouveau le sceau de la Cité des morts. C'était encore une fois la preuve que les vandales étaient passés par là et que l'endroit avait été mis sous scellés par les autorités de l'époque.

Encore une autre surprise : derrière les civières, il vit un petit trou dans le mur, par où l'on pouvait supposer que quelqu'un avait pu passer. C'était à désespérer car, si la chambre mortuaire se trouvait vraiment derrière ces murs, la momie avait été certainement pillée ou même volée. Jusqu'alors, c'était le cas dans tous les tombeaux : pourquoi celui de Toutankhamon eût-il fait exception ?

Carter agrandit légèrement ce trou et y pénétra, muni d'une lampe électrique. Il arriva dans une petite pièce de 4 m sur 2,90 m, remplie de milliers d'objets. L'image qui s'offrit à ses yeux ressemblait au chaos provoqué par un tremblement de terre : des sièges, des tabourets, des fauteuils, des lits, des petits bancs, des coussins, des corbeilles, des cruches, des coffres, des jouets, des javelots, des flèches, des arcs, des vêtements, des mannequins et de la vaisselle y étaient entassés dans le plus grand désordre. Beaucoup d'objets cassés, détruits ou piétinés. Il n'y avait pas de doute, les voleurs étaient passés par là, cherchant de l'or et des pierres précieuses.

Ce désordre rendait extrêmement difficile le classement de tous les objets. On y trouvait également beaucoup de coffres faits de tous les matériaux, incrustés d'ivoire, d'or, de verre, de faïence ou couverts de stuc et peints.

Une des inscriptions disait :

« Neb-Chépru-Râ, Toutankhamon, prince d'Héliopolis, qui ressemble à Râ. »

Sur une autre :

« La Grande Reine, épouse, maîtresse des deux pays, Enches-an-Amon qui y vit. » Les coffrets contenaient de l'encens, de la myrrhe, de la résine, de la gomme, de l'antimoine, de l'or et de l'argent, de nombreux vêtements, des coiffures en forme de mitre, du lin, des perles.

On pouvait imaginer un conte des *Mille et Une Nuits*. Trois coffres étaient remplis de souvenirs rappelant l'enfance du roi. Une inscription relate :

« Coffret de lin pour Sa Majesté, lorsqu'elle était encore presque un enfant. »

On trouva des plumes d'autruche, mais en les tou-

Flabellum avec chasse aux autruches (photographie Giraudon).

chant elles tombèrent en poussière. Des éventails rappelaient le flabellum employé lors des processions pontificales. D'ailleurs, beaucoup de témoignages nous rappellent les déplacements du pharaon, qui ressemblent étrangement à ceux du Pape. Des chambellans marchaient à côté ou derrière le trône, portant de grands éventails. Dans la même pièce, il y avait aussi beaucoup de jeux précieux, dont quelques-uns ressemblaient à des échecs ; le plus beau avait 53 cm de long sur 32 cm de large et 17 cm de haut, il se composait de 30 cases.

Ce pharaon devait être un collectionneur de cannes car on ne pourrait pas s'expliquer autrement le grand nombre de celles qu'on y trouva. De formes différentes, elles étaient toutes précieusement incrustées d'or et de mosaïques.

Le soin que les Egyptiens portaient à la nourriture des morts illustres est incroyable ! Dans la deuxième pièce, on découvrit 116 corbeilles remplies d'aliments de toutes sortes, des fruits, jusqu'à de la volaille rôtie, 40 grandes cruches qui avaient dû contenir du vin et sur lesquelles on trouvait l'inscription suivante :

« Année 9, cru des vignes Toutankhamon, de la rive ouest. »

Parmi les armes, il y avait des lance-pierres, des bâtons, des javelots, des arcs et des glaives. Le lance-pierres, avec des pierres taillées, était certainement l'arme la plus ancienne du monde. Deux glaives courbés avaient, l'un 40 cm et l'autre 50 cm. La longueur des arcs variait entre 62 et 123 cm. Pour se protéger, il y avait des boucliers richement décorés. Le roi était représenté se défendant contre les nègres et les Asiatiques ennemis de l'Egypte.

Dans une caisse, on trouva une espèce d'armure de cuir, en forme de veston, 278 flèches de tous les calibres. Il y avait 300 armes.

Parmi le mobilier, on dénombra quatre lits magnifiques ornés d'or et de bois d'ébène, un autre lit portant même des charnières en bronze et pouvant être plié et quelques meubles datant de l'enfance du roi : de petites tables et de petites chaises. Les pieds de la plupart des fauteuils et des chaises avaient la forme de pieds d'agneaux, de vaches, de lions, de chiens et même de canards.

Un appuie-tête en ivoire nous prouve le niveau

artistique des gravures de l'époque. On y trouve un motif tiré du mythe de la création du monde. La légende raconte que le ciel et la terre ne faisaient qu'un au début. Plus tard, l'air les sépara en soulevant le ciel au-dessus de la terre. Deux lions assis symbolisaient hier et aujourd'hui. Entre eux était agenouillée la déesse de l'air, « Chu », qui soutenait de ses bras le firmament.

Une des plus belles pièces du tombeau est une barque. La proue et la poupe en forme de tête de bélier. Quatre colonnes supportent un baldaquin protégeant un sarcophage. Devant celui-ci, une déesse avec une fleur de lotus sur la poitrine. Cette merveilleuse pièce d'albâtre a 70 cm de hauteur et 70 cm de longueur. Les Egyptiens allumaient leurs feux à l'aide d'une veilleuse qui était munie d'une pierre à feu. On trouva dans la tombe ce modèle de « briquet ».

Carter en déduisit que le tombeau avait dû être visité deux fois par les voleurs. La première fois, pour s'emparer de l'or et la deuxième pour prendre des huiles et des baumes précieux. D'après lui, il devait y en avoir 350 litres, répartis en 43 vases et l'on sait que ces baumes avaient plus de valeur en devenant vieux. Une des inscriptions relate que le contenu des vases avait été fabriqué quatre-vingt-cinq ans avant la naissance de Toutankhamon. Deux autres vases portaient le nom de Thoutmosis III, ce qui donnait l'âge de leur contenu.

Les savants furent étonnés de constater, sur les vêtements, des dégâts causés par l'humidité. Le climat de l'Egypte est toujours chaud et sec. Howard Carter prétendit que l'humidité avait pu être provoquée à l'intérieur des chambres par la peinture à la chaux des plafonds et des murs et par l'évaporation des fruits et du vin. D'autre part, on pense aujourd'hui que l'Egypte aurait subi de fortes pluies à une certaine époque.

Quelques objets en bois étaient légèrement vermoulus, mais l'on doit certainement la conservation de tous les meubles et objets à la fermeture hermétique du tombeau, qui a empêché l'oxygénation des parasites. Carter écrivait : « Nous venons de faire ici une découverte qui dépasse tous nos espoirs. Nous avons la chance de réunir la plus grande collection du monde. » Cette phrase prouve qu'il était émerveillé de sa découverte et qu'il ne se doutait nullement de ce qu'il devait encore trouver dans le tombeau.

Carter a aussi songé à ce papyrus qui nous fait connaître l'histoire de l'Egyptien Sinuhe. Dans ce document vieux de quatre mille ans à peu près et qui parle d'un ensevelissement, il est dit :

« Tu as songé à ce jour où l'on est mis au tombeau accompagné d'honneurs. Un soir te sera consacré ainsi que l'huile de cèdre et les bandelettes tissées par Tait (déesse des tisserands). On te suivra en cortège au jour de ton inhumation. L'enveloppe qui enfermera ta momie sera en or, la tête en lapis-lazuli et le ciel (coffre) sera au-dessus de toi et toi-même tu reposeras sur un char tiré par des bœufs et les chanteurs te précéderont. On dansera les danses de Muu devant la porte de ton tombeau, on récitera les paroles du sacrifice et l'on sacrifiera sur tes pierres de sacrifice. »

C'était la voix d'un optimiste qui n'avait pas perdu confiance dans les vieux rites funèbres. Qu'il existât aussi des pessimistes qui estimaient inutiles ces méthodes d'ensevelissement a déjà été expliqué au chapitre des pyramides. Mais hélas, entre lord Carnarvon qui finançait ces fouilles et Carter, surgirent des différends, pour des questions d'intérêt. Leur contrat de concession avec le gouvernement égyptien avait été fixé en douze points. Et les points 8, 9, 10 stipulaient :

8° Les momies de rois, de princes, de grands prêtres et de membres de la cour, ainsi que leurs cercueils et sarcophages, devenaient propriété de l'administration des Antiquités égyptiennes.

9° Les tombeaux qui n'avaient pas été pillés devenaient la propriété des musées du Caire, ainsi que tout leur contenu.

10° Parmi les objets trouvés dans les tombeaux non pillés, les momies, les sarcophages et tous les objets de première importance pour l'Histoire et l'archéologie seraient gardés par l'administration des Antiquités. Les autres objets seraient partagés entre les concessionnaires de l'administration.

Comme il était probable que la plupart des tombeaux tomberaient sous le coup du paragraphe 10, la part du concessionnaire le dédommagerait des travaux de son entreprise.

Lorsque les représentants du gouvernement eurent visité les deux chambres, ils décidèrent que tous les objets relevaient de la rubrique « Objets de première importance » et ils se les approprièrent.

Lord Carnarvon n'était nullement de leur avis, car il n'avait pas entrepris ces fouilles dans un but purement idéaliste. De son côté, Carter entendait tenir ses engagements envers le gouvernement égyptien. Carter et Carnarvon se réconcilièrent par la suite.

CHAPITRE IX

Cercueils d'or
La malédiction
de Toutankhamon

LORSQUE les longs travaux de laboratoires furent terminés et les deux antichambres vidées, Carter se décida à faire ouvrit le mur qui était entre les deux statues de gardiens. Comme nous le savons déjà, ce mur avait été percé dans l'Antiquité par les pillards et avait été scellé par l'administrateur de la Cité des morts.

Cette fois-ci, Carter avait convoqué des invités, car il avait le pressentiment qu'il se trouvait maintenant devant la porte d'un sanctuaire et, le cœur battant, il donna l'ordre de faire tomber la cloison.

Par l'ouverture ainsi faite, les rayons du phare électrique furent reflétés par un grand mur d'or. Très émus, tous regardèrent cette salle dorée, chambre mortuaire d'une étendue de 6,40 m sur 4,30 m. Ce qu'aucun savant n'avait encore réussi auparavant était maintenant atteint. Mais tout le monde était préoccupé par la pensée des voleurs, car à côté du mur doré, dispersés sur le plancher, se trouvaient un magnifique diadème et quelques bijoux certainement perdus par les intrus.

Lorsque le mur fut entièrement tombé, le savant se

trouva devant un catafalque doré, énorme (5,20 m de long, 3,35 m de large et 2,75 m de haut), surabondamment couvert de signes magiques qui devaient assurer la protection du tombeau. Les deux yeux du dieu Horus figuraient sur les côtés du coffre. La corniche portait aussi le serpent sacré et le soleil ailé planait au-dessus des portes, comme un oiseau protégeant sa nichée. Ce dernier motif se trouve maintes fois répété dans cette tombe. Les ailes sont le symbole de la « protection » ; dans la tombe de ce jeune pharaon, elles sont attachées aux épaules des déesses tutélaires ; le christianisme en pourvoira ses anges gardiens.

Hélas ! sur la porte du coffre, portant le scarabée insigne de Toutankhamon, le sceau avait été violé.

Bien qu'il parût maintenant évident que les savants se trouvaient effectivement devant le cercueil du roi, il était aussi certain que les pillards les avaient devancés.

La momie était-elle dépouillée, détruite ou volée ? Ils mirent des heures pour ouvrir les portes du catafalque et un immense soupir de soulagement s'exhala de toutes les poitrines. A l'intérieur de celui-ci, se trouvait un deuxième sarcophage, encore plus magnifique que le premier, dont le sceau était intact.

Le jour même, des télégrammes furent envoyés dans le monde entier. Les journaux annoncèrent que le tombeau du pharaon avait été reconnu et qu'il fallait s'attendre à une grande découverte. Un seul homme n'était plus là pour connaître la bonne nouvelle : Lord Carnarvon (avec lequel Carter s'était réconcilié). Quelques semaines auparavant, il avait été piqué par un moustique et avait succombé mystérieusement.

Détail d'un sarcophage, musée du Caire (Phototèque Laffont).

N'était-ce pas une conséquence de la malédiction planant au-dessus de ce tombeau et annoncée par le dieu des morts, Osiris ?

Sous ce climat, les piqûres de moustiques sont fréquentes, rares sont celles qui provoquent la mort, elles donnent le paludisme qui est tout à fait guérissable aujourd'hui. Pourtant lord Carnarvon en est mort. « Ces hommes vont trouver de l'or... mais aussi la mort ! » Un fellah avait prononcé ces paroles prophétiques lorsque le tombeau fut découvert. Avait-il des raisons pour être aussi affirmatif ?

Des spécialistes se mirent à la tâche et démontèrent le catafalque extérieur ; c'était un travail extrêmement dur, car les planches avaient plus de 5 cm d'épaisseur et après les milliers d'années passées dans ce tombeau, le bois s'était desséché. Mais, par contre, le revêtement de stuc s'était détendu et le danger était grand de l'endommager. La tâche était difficile, car un seul côté pesait 350 kg.

Il fallut ensuite enlever un immense linceul de lin qui entourait le deuxième sarcophage. Des milliers de petites étoiles d'or le recouvraient. Extrêmement fragile, il était tombé à terre, détaché par son propre poids de ses points d'attache.

Les savants considéraient de leur devoir de conserver cette pièce rare et avant de libérer le tissu, ils l'imbibèrent d'une solution qui lui donnerait une certaine résistance. On était enfin arrivé à enlever le deuxième sarcophage, il était d'une beauté exceptionnelle, doré et richement orné !

Avant de violer le sceau du roi, Carter reçut des avertissements de tous côtés, on le prévenait de la malédiction qu'il encourait et l'on parlait de sacrilège. Mais Carter ne pensait qu'aux services qu'il avait à rendre à la science. Il rompit le sceau. Lorsqu'il ouvrit les portes, il découvrit un troisième sarcophage, en viola de nouveau le sceau, on ouvrit les portes et on tomba sur un quatrième sarcophage.

Jamais aucun savant n'avait eu la chance de découvrir des cercueils d'une telle splendeur et surtout d'en découvrir quatre emboîtés les uns dans les autres. Dominant une émotion indescriptible, Carter défit le cachet et il vit un magnifique sarcophage en quartz jaune, tel que les hommes l'y avaient déposé, il y avait trois mille cinq cents ans.

Il lui avait fallu des semaines pour démonter les trois sarcophages intérieurs et maintenant, libéré de ses dépouilles, le quatrième plus riche encore s'offrait aux yeux éblouis du savant !

Il était poli comme un miroir et ses côtés étaient couverts de texte religieux. On avait aussi trouvé un grand nombre de cadeaux précieux dans les espaces creux qui étaient entre les différents sarcophages. Ce cercueil en granit avait 2,75 m de long, 1,50 m de large et 1,50 m de haut. Sur les quatre coins, des bas-reliefs représentant les quatre déesses, Isis, Nephtis, Neith et Yelket. Tels des anges gardiens, elles couvraient de leurs ailes déployées la totalité de la circonférence.

Les savants furent très émus devant ce magnifique monument de pierre, véritable prière pétrifiée. Comment les artistes de l'époque avaient-ils créé un pareil chef-d'œuvre ? Le poids en était de plusieurs tonnes. Avec quel outillage avaient-ils pu travailler ce matériau si dur ? Et comment avaient-ils pu le transporter dans cette chambre étroite ? Le couvercle était en granit rose, également poli, lisse et couvert d'inscriptions. Il pesait 600 kg. Comment les Anciens avaient-

Divinités gardiennes du tombeau, trésor de Toutankhamon
(photographie Audrain-Samivel).

ils pu le placer sur le cercueil, dans une chambre au plafond aussi bas ? Finalement il découvrirent qu'il était cassé par le milieu, très proprement recollé et les jointures repeintes en couleur rouge.

Sur les murs de la chambre mortuaire, des bas-reliefs représentaient la cérémonie des funérailles et une fresque décrivait le moment où le successeur du roi brûlait le dernier encens pour l'âme du défunt.

Carter fit ériger un petit échafaudage afin de soulever plus facilement ce couvercle. Il avait invité de nouveau les personnes qui voulaient assister à l'enlèvement de ce couvercle. Le cœur battant, pleins d'impatience, tous regardaient le contremaître qui allait tirer sur les câbles. En quelques minutes, le couvercle se trouva à 50 cm au-dessus du cercueil. Il fut impossible de le hisser plus haut, car le plafond était trop bas. Le premier coup d'œil à l'intérieur fut une grande déception pour Carter, car il eut l'impression de ne voir qu'une quantité d'étoffe sombre. Il fallut d'abord dérouler six couvertures qui, autrefois, étaient certainement blanches, mais que des milliers d'années avaient noircies.

Enfin, ce fut une vision merveilleuse : un cercueil en or massif !

Ce prodige coupa la parole aux témoins de cette exhumation. Rêvions-nous ? Nul ne pouvait comprendre la portée exacte de ce qui nous tombait dans les mains du sein d'une haute Antiquité. « Lorsque, bien des jours après, je ne parvenais toujours pas à croire ce que voyaient mes yeux, il m'arrivait de heurter le cercueil de la bague que je portais au doigt afin d'entendre la résonance de l'or et Carter me répétait : *Oh, yes, Mister Neubert, it's very fine gold !* »

Beaucoup de raisons, basées sur des découvertes scientifiques, font soupçonner que ce roi n'était pas mort d'une mort naturelle. Il est certain, toutefois, que ceux qui avaient intrigué contre lui avaient mis le prix à ses funérailles.

Cette journée fut le plus grand jour de la vie du savant. Mais les déceptions ne se firent pas attendre ! Le lendemain, Carter recevait un télégramme du ministre égyptien, interdisant aux femmes l'accès du tombeau. Lors de la levée du couvercle, il y avait eu des femmes dans l'assistance.

Carter et ses collaborateurs considérèrent cette interdiction comme une provocation et protestèrent en menaçant d'arrêter leurs travaux. Il avait effectivement fait fermer le tombeau, mais sans reposer le couvercle du sarcophage, croyant que cet incident s'arrangerait en quelques jours. Il demanda au gouvernement égyptien d'être nommé administrateur du tombeau. Mais le gouvernement lui répondit en lui en interdisant l'accès et lorsqu'il sollicita la permission d'y aller afin de faire redescendre le couvercle, les Egyptiens l'accusèrent de négligence et lui enlevèrent la concession !

Il y avait alors trente ans que Carter vivait en Egypte. Il avait découvert le tombeau de Thoutmosis IV et avait été nommé, les dernières années, inspecteur en chef des Antiquités de la Haute-Egypte. Il avait sacrifié de longues années et la plus grande partie de son œuvre à la découverte du tombeau de Toutankhamon.

Lorsqu'il l'avait mis au jour, des milliers de touristes avaient afflué, apportant de grands avantages à l'Egypte. Carter avait sacrifié sa santé et négligé ses intérêts matériels, ayant toujours agi en savant désintéressé. Il avait même rompu avec son ami lord Carnarvon, parce qu'il avait voulu que ces trésors restassent propriété du gouvernement égyptien.

Après avoir fait tant de bien à ce pays qu'il aimait, on lui interdisait de poursuivre ses travaux !

Un jour, un représentant du gouvernement arriva, accompagné d'avocats et de serruriers, et comme Carter avait refusé de rendre les clefs, les serrures furent forcées, les Egyptiens remirent le couvercle du sarcophage, posèrent de nouvelles serrures et disposèrent autour du tombeau une garde militaire. Carter fit l'impossible pour arranger la querelle entre lui et le gouvernement. Il avait chargé un célèbre avocat de défendre ses intérêts, même des savants américains lui proposèrent leur médiation.

Mait tout cela n'était pas si simple. Le temps passait, en propositions, contrepropositions, refus et suspicions.

Finalement Carter partit pour l'Angleterre !

Quelles étaient les véritables causes de cette querelle ? Il y avait évidemment des raisons politiques. Les Anglais étaient en Egypte en qualité d'occupants et, à l'époque où ce différend éclata, les élections égyptiennes amenèrent au pouvoir des nationalistes anti-britanniques. Il s'ensuivit des troubles et des démonstrations dirigées contre les Européens.

C'est pour cette raison que le gouvernement était si mal disposé envers Carter. Lorsque, au cours de cette période trouble, le commandant en chef britannique, sir Lee Stack, fut assassiné au Caire, l'Angleterre menaça le gouvernement égyptien de représailles. Elle rétablit son influence et Carter put revenir sur les lieux de ses recherches.

Revenons maintenant au tombeau. Le cercueil en

bois et stuc doré avait une forme humaine et était long de 2,25 m ; il remplissait entièrement le sarcophage. Les sculpteurs y avaient ciselé les ailes protectrices des anges-déesses. Le buste du roi était sculpté tels les gisants de nos cathédrales. Dans une main il portait le sceptre, dans l'autre la cravache. Son visage et les paumes des mains étaient en or, ses yeux en aragonite et en obsidienne, ses sourcils et ses cils en lapis-lazuli. La tête du roi portait les deux symboles sacrés de la Haute et de la Basse-Egypte, la tête de serpent et la tête de vautour. Sur sa poitrine, Carter trouva un petit bouquet de fleurs des champs desséchées. Peut-être était-ce dans toute cette magnificence, le seul petit signe humain, certainement la dernière preuve d'amour de la jeune veuve. Il ne fut

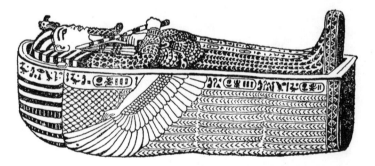

Premier cercueil ouvert permettant de voir le second cercueil. La plupart des cercueils portent des textes en hiéroglyphes se rapportant au royaume de la mort. Ils sont placés également à l'intérieur du couvercle et au dos du cercueil.

pas facile de sortir du sarcophage le cercueil lourd de 900 kg. Les savants se trouvaient devant une nouvelle énigme. Pourquoi cet énorme poids ? Y avait-il à l'intérieur un autre cercueil, peut-être en plomb ? Le couvercle orné de quatre poignées d'argent était facile à soulever. Une fois de plus ce fut un moment de grande émotion.

On vit d'abord un linceul couvert de branches et de fleurs de lotus, puis un deuxième cercueil de nouveau aux formes du roi, représentant le dieu Osiris, dont la tête était un masque en or massif, incrusté d'or et de pierres précieuses, un véritable chef-d'œuvre !

Ces cercueils étaient tellement bien ajustés les uns dans les autres qu'il fallut plusieurs jours pour sortir le dernier à cause de son grand poids. Lorsqu'on l'ouvrit et qu'on enleva le lin rouge et les bijoux qui s'y trouvaient, on eut encore une grande surprise : l'énigme de l'énorme poids du cercueil était résolue. Il y avait encore un cercueil en or massif de 1,85 m de long qui pesait 235 kg. Il est certain qu'à notre époque, on n'a pas refait de tels chefs-d'œuvre d'orfèvrerie. Hélas ! nul écrit ne nous a rapporté les procédés et les moyens dont disposaient les artisans de cette époque.

Les richesses immenses découvertes dans le tombeau du jeune roi Toutankhamon, qui n'avait régné que peu de temps et qui avait été un roi insignifiant dans l'Histoire, laissent songeur, lorsqu'on pense quels trésors avaient dû contenir les autres tombeaux des grands pharaons. Il fut très difficile d'ouvrir le cercueil en or, car les baumes et les huiles avaient agi telle une colle puissante et il fallut prendre de très grandes précautions pour ne rien endommager. Finalement, les savants arrivèrent au bout de leur tâche et se trouvèrent en présence de la momie. Elle était entièrement noircie, à cause de la décomposition des produits qui avaient servi à sa conservation, et le

Masque funéraire en or massif de Toutankhamon (Photo Roger-Viollet).

contraste du masque en or brillant qui couvrait la tête, les épaules et la poitrine, était d'autant plus saisissant.

Entre les bandes de lin, il y avait de minces bandes en or couvertes d'inscriptions : la déesse céleste Nut, l'ancêtre des dieux, dit : « Je suis ta mère, c'est moi qui ai créé ta beauté, ô Osiris, Roi, Maître des pays, Neb-Chéprut-Râ, ton âme vit et tu es fort, tu respires l'air et tu t'en vas comme dieu en entrant dans Amon, ô Osiris Toutankhamon, tu nous quittes et tu t'unis avec Râ, qu'elle est grande ta noblesse, qu'il est puissant ton trône ! Ton nom est dans la bouche de tous tes sujets. Ton immortalité restera dans la bouche de tous les vivants, ô Osiris, Roi Toutankhamon, ton cœur reste immortel dans ton corps. Il est à la tête des vivants, comme Râ restera au Ciel. »

Des semaines de labeur passèrent ; on ne peut se rendre compte de l'étendue de ces travaux que lorsqu'on sait que ces savants et ouvriers ont dû travailler pendant des mois dans cette petite chambre obscure, toujours à une température variant entre 35° et 45° C.

Le moment était venu où on allait procéder au déroulement de la momie. Carter avait convié, pour ce moment solennel, les représentants du gouvernement et des savants célèbres. Il voulait une cérémonie empreinte de dignité, qui couronnerait toutes leurs recherches. Mais leur déception fut grande : le corps du roi était devenu méconnaissable.

Pour le conserver, les Anciens avaient employé de trop grandes quantités d'huile de lin et, durant les milliers d'années, des réactions chimiques avaient dû provoquer un grand échauffement qui avait mis tout le contenu de ce cercueil dans un état proche de la carbonisation.

Par une étrange ironie de la nature, les dents qui, du vivant d'un être humain, se désagrègent déjà, cessent de s'abîmer aussitôt après la mort de l'individu et durent bien davantage que tout le reste du corps. Les dents de Toutankhamon étaient bien conservées.

Carter fit enduire les couches de lin de paraffine, afin de les conserver. Entre les bandes, on trouva de nombreux bijoux : un triple collier d'or, avec un pendentif, un beau scarabée gravé de formules magiques, ensuite un sceptre et une cravache. Sur la poitrine du roi, il y avait l'oiseau des âmes, finement ciselé, les ailes étendues pour le protéger, un diadème autour de la tête, incrusté d'or et de cornaline, garni de perles.

Chacun des doigts des pieds était enfilé dans un petit étui protecteur en or. Les jambes portaient huit anneaux d'or.

Aux bras, 11 magnifiques bracelets et aux doigts 15 bagues. Il y avait 6 paires de boucles d'oreilles datant de l'enfance du roi, de magnifiques colliers ; on compta 143 bijoux. Il est toutefois intéressant de citer un petit appui-nuque en fer, qui portait l'inscription suivante : « Réveille-toi de cet évanouissement dans lequel tu te trouves, tu triompheras de tout ce qu'on t'a fait... le dieu Ptah a vaincu tes ennemis ; ils sont tombés et n'existent plus. »

Toutankhamon dut être inhumé en mars ou avril. En fait, cela n'a guère d'importance, mais les fleurs que contenait sa tombe le disent. Il y avait un bouquet et trois petites couronnes composées surtout de bleuets qui, en Egypte, fleurissent en mars et avril, mais si l'on y trouva aussi un lis d'étang ou nénuphar qui ne fleurit qu'en novembre, il faut en conclure que, dans les jardins de Thèbes, on savait les cultiver et les faire fleurir prématurément. Il existait encore deux symboles importants celui de la Basse-Egypte, le serpent Buto, et celui de la Haute-Egypte, le vautour Nechbet.

Le cercueil du roi était orienté vers l'ouest, la tête dirigée dans la même direction. A côté de sa cuisse gauche, se trouve Buto ; près de la droite, le vautour.

Les deux emblèmes étaient donc symboliquement revenus de leur pays d'origine. Les Egyptiens étaient très attachés à leurs symboles.

Soyons reconnaissants aux Egyptiens de ce qu'ils n'ont pas brûlé leurs morts ainsi que le firent plus tard les Grecs. Les recherches seraient singulièrement plus compliquées.

Dans l'état de la science actuelle, on n'a pas encore pu pénétrer le mystère de la mort. L'âme et l'esprit sont des inconnus et là où la science atteint ses limites, le mystère métaphysique entre en jeu. Platon croyait en l'immortalité de l'âme. Aristote n'y croyait pas. Descartes était pour et Spinoza contre. Leibniz et Kant défendaient cette thèse dans un sens positif. Hegel était indécis et ses élèves étaient séparés en deux clans, l'un défendait la survivance de notre âme et l'autre la niait. Les Egyptiens croyaient déjà en la vie éternelle de leurs âmes et c'était ce qu'il y avait de plus grand dans leur religion.

Avons-nous le droit de rejeter complètement l'hypothèse d'une malédiction prononcée par les prêtres contre les envahisseurs du tombeau de Toutankhamon ?

Lord Carnarvon était mort d'une façon absolument inattendue ! Pourquoi avait-on répandu le bruit qu'une piqûre de moustique avait été la cause de cette mort et non, ce qui est plus vraisemblable, une piqûre de scorpion, bête sacrée chez les Egyptiens ! Pourquoi avait-on passé sous silence l'inscription de l'entrée de la tombe : « La mort touchera de ses ailes celui qui dérangera le pharaon. »

Pendant son agonie, Carnarvon délirait en prononçant le nom de Toutankhamon et dans un moment de lucidité il s'écria : « C'est fini, j'ai entendu l'appel et je me prépare. »

Au même instant, la lumière s'était éteinte dans la chambre. Lorsqu'elle revint, dix minutes plus tard, lord Carnarvon était mort. Il n'avait que 57 ans.

Six mois plus tard, son jeune frère, le colonel Aubrey Herbert, mourut. Très peu de temps après, l'infirmière mourait aussi. Etait-ce véritablement le hasard ?

Les fellahs au courant de ces événements murmuraient sans même dissimuler leur joie : « La malédiction du pharaon. »

Ensuite décéda le secrétaire de Carter, Richard Bethell, fils unique de lord Westbury. Trois mois plus tard, son père le suivit.

Avant d'allonger la liste de tous ceux qui étaient décédés et qui avaient quelque rapport avec le tombeau, on nous racontait cette anecdote vraie du docteur Carter :

Il avait vécu longtemps en Egypte et ne vivait que pour l'archéologie. N'ayant jamais eu le temps de fonder une famille, lors de son dernier séjour en Angleterre, il disait à tout le monde : « J'en ai assez d'être seul ! » Avait-il l'idée de se marier ou peut-être était-il déjà fiancé ? se demandait-on. Mais Carter donna vite la réponse : il s'acheta un canari !

Les indigènes, croyant que cet oiseau portait

chance, appelaient le tombeau « le tombeau de l'oiseau ». D'autre part, ils prétendaient que les deux statues de gardiens, qui se trouvaient dans l'antichambre et qui portaient au front la tête du serpent sacré symbolisant l'esprit protecteur du roi, devaient tuer ses ennemis, aujourd'hui, comme dans l'Antiquité.

Bientôt, un événement étrange se produisit. Devant la baraque de Carter se trouvait la cage de l'oiseau, posée sur un tas de pierres, et celui-ci, comme d'habitude, chantait allégrement. Lorsque le valet de Carter s'approcha, attiré par un silence soudain, il vit un tableau terrifiant : un grand cobra se trouvait devant la cage en train de manger l'oiseau ! Les indigènes parlèrent de nouveau de malédiction et prévinrent les Européens du danger qu'ils couraient.

Quelques jours après, arrivait à Louksor le professeur La Fleur, ami intime de Carter. Il ne put assister aux travaux que quelques semaines et ensuite, il mourait d'une maladie mystérieuse !

Le cas suivant fut celui du savant Arthur Mace, proche collaborateur de Carter. Lorsqu'il eut percé le mur qui le séparait de la chambre mortuaire, ses forces l'abandonnèrent soudainement, il dut s'aliter et mourut bientôt.

Célèbre archéologue, le docteur Evelyne White était, lui aussi, un des collaborateurs les plus zélés de Carter. Impatient, il fut parmi les premiers à pénétrer dans la chambre mortuaire. En sortant, il ressentit un malaise et, depuis ce jour, souffrit d'une dépression nerveuse. Au grand désespoir de sa famille, quelques jours après il se pendait ! Dans sa lettre d'adieu, il écrivait : « J'ai succombé à une malédiction qui m'a forcé à disparaître. » Avant de remettre la momie au Musée du Caire, un savant du gouvernement égyptien, Archibald Douglas Reed, reçut l'ordre de la radiographier, pour savoir s'il y avait des corps étrangers à l'intérieur de la dépouille mortelle. Reed, intéressé par cette tâche, se mit à l'œuvre. Dès le lendemain, il eut un malaise. Bien qu'il fût d'une constitution extrêmement saine, il succomba quelques jours après !

Un membre influent du gouvernement égyptien entreprit pour son propre compte des recherches au sujet de ces morts mystérieuses et il se rendit dans la vallée, accompagné du célèbre charmeur de serpents Mussa.

Lors de leurs expériences, un cobra et une vipère sortirent de l'emplacement du tombeau. D'où pouvaient bien venir ces serpents ? Le haut fonctionnaire poursuivit ses recherches, mais quelques jours après, ressentant un fort malaise, il fut obligé de cesser, et au moment où il commençait à croire en cette malédiction, il était déjà trop tard, quelques jours après il mourait lui aussi !

Le professeur Douglas Derry mourut aussi après avoir été en contact direct avec la momie.

Le savant Garriès Davis, qui avait trouvé un gobelet portant le nom de Toutankhamon, découverte qui fut à la base de toutes ses recherches, mourut également dans des circonstances mystérieuses.

Il y eut en tout dix-sept savants, plus lady Carnarvon, qui y laissèrent leur vie. C'étaient, en dehors de ceux qui sont déjà mentionnés : le professeur docteur Breastead, le savant Harkness, les professeurs Winlock, Alan Gardiner, Foucart, ainsi que les deux chercheurs Jay-Gould et Joel Woof. Les savants Astor, Bruyère, Callender, Lucas, Bethell et bien d'autres, qui tous avaient eu des contacts avec le tombeau, sont morts jeunes et certainement prématurément.

Etait-ce un poison ? Les Egyptiens avaient évidemment de très grandes connaissances en ce qui concernait les mélanges des poisons. Les prêtres avaient-ils empoisonné les pierres de la chambre mortuaire ? Certains savants prétendent qu'il existe des poisons qui gardent leur efficacité à travers les âges, surtout dans le climat de l'Egypte. L'explication de ces morts mystérieuses est peut-être là !

Pour quelles raisons les pillards avaient-ils abandonné leurs trésors ? Avaient-ils été chassés par des gardiens ou ont-ils vu des choses extraordinaires qui les effrayèrent et les mirent en fuite ? La vérité restera toujours entourée d'un grand mystère. Serait-ce celui de la déesse Isis ?

Les savants américains qui travaillent dans la cité atomique de Oakridge supposent que les Egyptiens auraient connu le secret atomique. Avaient-ils déposé des matières radioactives dont les rayons restent efficaces durant des milliers d'années ?

Cependant, nous nous posons la question suivante : pourquoi les savants ou les fonctionnaires étaient-ils seuls à être touchés par cette malédiction et non les fellahs qui étaient également en contact avec le tombeau et les objets qu'il contenait ?

Un fait est certain, c'est que celui qui a découvert le tombeau, le docteur Carter, vécut de longues années encore en excellente santé.

CHAPITRE X

Des voiliers emportent le dieu au royaume de la mort

A CÔTÉ de la chambre mortuaire se trouvait la chambre des trésors mesurant 3,50 m sur 4 m. Les trésors qu'elle contenait dépassaient en valeur celle des objets du même genre qui avaient été découverts jusqu'alors.

Dans l'encadrement de la porte, sur une civière, se trouvait un coffre doré rempli d'une grande quantité de bijoux. Sur le couvercle, reposait le chien sacré Anubis. Il était en bois noir et le foulard qu'il portait autour du cou était brodé de fleurs de lotus et de bleuets.

Cet animal avait été sculpté sans sexe, fort probablement pour qu'il ne puisse troubler le repos de Sa Majesté par de mauvaises habitudes canines. On peut constater que déjà les chiens de cette époque avaient de mauvaises manières !

Le long des murs, il y avait vingt-deux petites armoires, toutes fermées et scellées, sauf une dont la porte était tombée. Elle contenait une statuette en or du roi. Les autres armoires contenaient également ment des statuettes, soit en or, soit en bois. Les yeux étaient en obsidienne, en albâtre ou en verre. En outre, on y trouva trente-quatre statuettes dont sept avaient le visage du roi et vingt-sept étaient les divinités dont les noms étaient gravés sur les socles.

Coffre doré sur lequel est assis le dieu Anubis (1,11 m de hauteur). Ce coffre était plein de cadeaux. A l'extérieur les signes symbolisant la vie : Djed et Tjet (Photographie Boudot-Lamotte).

Ihi était représenté par une statuette noire : c'était le dieu des musiciens mâles. Il y avait aussi des musiciennes ; celles-ci se trouvaient sous la protection d'Hator. Geschet était la déesse de l'écriture. Quelques-unes de ces statuettes avaient un pouvoir magique et jouaient les rôles d'esprits protecteurs chargés de mettre en garde les ennemis qui pourraient pénétrer dans le tombeau. Une inscription nous transmet le discours de l'une d'elles : « C'est moi qui empêche le sable d'ensevelir cette tombe, c'est moi qui repousse tout malfaiteur avec le souffle brûlant du désert. Je suis dans cette tombe dans le but de protéger Osiris Toutankhamon. »

Il y avait aussi un grand nombre de coffres, dont la plupart en bois peint ou doré. Quelques-uns en albâtre portaient des gravures incrustées en blanc, vert, rouge et bleu. Le plus beau contenait quarante-cinq mille incrustations. Quelques-uns de ces coffres avaient été pillés. On estime qu'environ 60 % des trésors de cette chambre avaient été enlevés. Dans l'un d'eux, il y avait un coffret à bijoux où l'on trouva un petit sceptre, un miroir et tout ce qu'il faut pour écrire. En tout trente-quatre pièces. Les objets qui servaient à l'écriture étaient composés de deux palettes d'ivoire et d'une petite boîte qui contenait des plumes qui ressemblaient à celles que nos écoliers emploient aujourd'hui.

D'autres coffres contenaient des médicaments. A cette époque, les serrures étaient inconnues, mais les fermetures étaient ficelées et scellées. Parmi les coffres et les armoires, il y avait vingt-deux modèles de bateaux, dont un bateau complet avec ses voiles et ses câbles.

Ils étaient tous orientés vers l'ouest. Quelques-uns devaient servir au roi, pour le pèlerinage d'Abydos ; d'autres devaient le rendre indépendant du passeur céleste ; d'autres lui étaient indispensables pour naviguer sur les canaux de l'Au-delà, ou lorsqu'il voulait voyager vers l'ouest à la rencontre du soleil.

Tout ce matériel était exécuté d'une façon absolu-

Barque funéraire d'un pharaon (B.N., Est).

ment parfaite et rien n'y manquait de ce qu'on pouvait trouver sur un grand bateau.

Il y avait également le modèle d'un grenier à blé rempli de toutes sortes de céréales. A côté, un moulin à main. Dans une caisse, on trouva une statue grandeur nature, qui ressemblait à une momie. Cette figure était pleine de terre fertile sur laquelle on avait semé du blé. Son nom était « l'Osiris qui germe ». Elle symbolisait le dieu Osiris « qui vivra ainsi que ce blé ».

Ainsi vivra également la dépouille du roi, car les morts font un avec Osiris. On trouva une grande quantité de vin desséché et tout le matériel pour la fabrication de la bière, qui à l'époque était considérée comme une boisson divine.

Dans un coin, on trouva la tête d'une vache, symbole du tombeau dans l'Au-delà. Les cornes étaient en cuivre, ses yeux en verre et le collier qui entourait son cou était en or.

Dans la petite antichambre, il y avait quatre voitures d'usage courant et deux voitures de chasse en pièces détachées. Les carrosseries étaient richement dorées et couvertes d'ornements. Les voitures d'usage courant sont ouvertes et plus légères que les voitures d'apparat dont une se trouvait dans le tombeau.

Hélas ! les voleurs avaient cassé les bouts en or des brancards. Le fini et la richesse des ornements des voitures de Toutankhamon ainsi que la perfection des axes et des rayons de roues nous montrent que les Anciens connaissaient à fond le métier de charron.

Sans doute, beaucoup d'objets de valeur avaient été emportés par les pillards, mais ils avaient tout de même été obligés d'abandonner des milliers de choses et en fin de compte, nous leur en sommes reconnaissants.

De telles fouilles demandaient aux savants une très grande patience, car ils avaient un énorme devoir envers la postérité. Chaque pièce découverte dans cet immense entrepôt représente une idée. Les Egyptiens attribuaient à tous ces objets une signification mystique, ce qui était d'ailleurs une des caractéristiques de leur croyance. Le trousseau du mort était fait pour qu'il dispose de tout ce dont il aurait besoin dans l'Au-delà. On avait déjà trouvé sur la momie cent trente-quatre bijoux, mais on trouva ici un grand coffre également rempli d'innombrables objets de valeur. De magnifiques colliers en or, garnis de pierres précieuses, des perles, de nombreuses boucles d'oreilles que les pharaons portaient quand ils étaient enfants, des sceptres et des cravaches, emblèmes du roi. Ce que les orfèvres de la cour avaient pu pro-

duire est incroyable. Les artisans graveurs, sculpteurs et les spécialistes du filigrane n'avaient rien
à envier à nos maîtres actuels. Les métaux précieux
employés étaient l'or, l'électrone, l'argent, et parfois
le bronze. Pour les ornements, on se servait de calcé-
doine, de cornaline, de turquoise, d'améthyste, de
lapis-lazuli et de quartz transparent.

*Gorgerin à l'image de la déesse vautour Nekhabit, musée du Caire
(photographie Giraudon).*

On découvrit ensuite une merveilleuse pierre, d'un
vert olive inconnu aujourd'hui. De même, il y avait
de l'or d'un rouge pourpre. L'ivoire était souvent
employé. Certains objets avaient 16 cm de diamètre.

Aujourd'hui, une défense d'éléphant d'une telle épaisseur est introuvable.

Un des symboles le plus souvent représenté était Chépéru, le scarabée qui se nourrit de crottin de cheval et en fait de petites boules dans lesquelles il dépose ses œufs. Cet animal, sacré chez les Egyptiens, faisait partie des emblèmes de Toutankhamon. Cet étrange insecte pousse prudemment devant lui « la boule maternelle » jusqu'au petit trou qu'il a creusé auparavant. Et de cette « grotte du crépuscule » les petits scarabées quittent leurs œufs, ils symbolisent le soleil dans son parcours quotidien.

Les emblèmes des rois le plus importants étaient la cravache et le sceptre. Le sceptre, l'enseigne du dieu Osiris, était un genre de crosse ; probablement la forme originale du bâton qui est encore aujourd'hui l'attribut des évêques et des cardinaux.

Ce qui est très étrange, c'est qu'on n'ait trouvé aucun écrit dans le tombeau. Pas un seul morceau de papyrus qui aurait pu donner de plus amples renseignements sur le grand nombre de questions qui se posaient aux savants.

Tous les outils découverts dans le tombeau, tels que la hache, la pelle, les harnais, les corbeilles, les seaux, les faucilles, les herses et d'autres rappellent les devoirs du roi dans l'Au-delà. Car le dieu Osiris, maître du royaume des morts, exigeait l'aptitude à tous les travaux, tels que le peuple devait les accomplir dans la vie : labourer les champs, semer, arroser et transporter le sable de l'est vers l'ouest. On a trouvé dans ce seul tombeau mille huit cent soixante-six outils, tous de petits modèles, en bronze ou en cuivre, emballés dans de petits coffrets en bois. Il y avait également de petites figurines en bois chawabti qui représentaient le roi en dieu Osiris, chacune munie de son outillage. Il y en avait quatre cent treize, plusieurs d'entre elles portaient des dédicaces : « Offert par le serviteur qui a rendu service à son maître Neb-Chéprut-Râ, par le gardien du trésor Mej. »

Ou « Offert par le scribe du roi, le colonel Min-Echt, pour son maître, le dieu Osiris, Neb-Chéprut-Râ, le juste ».

Enfin, on découvrit une caisse dont le contenu était une énigme pour les savants. Quelques très petits outils en fer, de tout petits ciseaux avec des manches en bois, comme s'en servent aujourd'hui les horlogers. Etaient-ce des imitations de grands outils ? Nous n'en savons rien. Ces pièces en fer, ainsi que l'appui-tête qu'on trouva, ne cadrent absolument pas avec les autres trouvailles et nous incitent à corriger nos opinions sur l'emploi du fer à cette époque.

Il y a du fer en Egypte, mais on ne se servait que de cuivre, de bronze ou d'or, bien que l'extraction de ces métaux fût beaucoup plus difficile.

Nous ignorons depuis quelle époque les Egyptiens se servaient du fer et depuis quand ils le connaissaient. Il y a des savants qui prétendent qu'on employait déjà le fer à l'époque de la construction des pyramides. En tout cas, ce métal étant considéré comme un métal impur n'était pas employé pour les cadeaux déposés dans les tombeaux. C'était la première fois qu'on trouvait des objets en fer.

Carter expliquait que dans tous les musées d'archéologie égyptienne en Europe, en y ajoutant le musée du Caire, parmi les cinquante mille pièces de toutes sortes qu'il contient, il n'y en a que douze en fer, y compris les six pièces trouvées dans le tombeau de Toutankhamon. Bien que les Egyptiens eussent ignoré l'emploi de l'acier, ils réussirent ces chefs-d'œuvre avec des outils faits de métaux beaucoup plus mous. Notre science est, une fois de plus, incapable d'expliquer ce fait.

Nous n'avons, hélas, pas suffisamment de place pour décrire tous les objets qui se trouvaient dans la chambre du trésor. Mais, il faut tout de même en mentionner encore quelques-uns qui sont étonnants.

Dans une des armoires, il y avait un petit cercueil en bois de 35 cm de long, orné de bandes en or portant des incrustations. Les deux extrémités étaient enveloppées dans du lin et portaient un sceau ; que pouvait-il bien contenir ? Après l'avoir ouvert, on trouva un deuxième cercueil doré comme un cercueil de roi et dans celui-ci un troisième. Ce dernier contenait une momie. Probablement celle d'un enfant. L'ayant déroulée, on découvrit que cette momie était en réalité un quatrième cercueil qui contenait une amulette en or héritée de l'ancêtre Aménophis III, ainsi que quelques mèches de la reine Téjé enveloppées dans du lin. Il s'agissait là certainement d'un témoignage touchant d'amour familial mais nous ne pouvons pas nous en expliquer le sens.

Dans un autre coffre, il y avait un petit cercueil, noir de forme humaine mesurant environ 50 cm de long. Dans celui-ci, un deuxième cercueil doré jusqu'à la poitrine, comme la momie du roi. Lorsqu'on eut enlevé les bandages, on découvrit un enfant mort-né de la reine. Les savants ont pu déterminer qu'il s'agissait d'un fœtus de sexe féminin, de 25 cm de long, qui avait un développement d'environ cinq mois. Un deuxième cercueil de la même facture nous apprit que la reine avait dû accoucher de deux enfants mort-nés. Etait-ce simplement un accident ou était-ce la preuve d'une anomalie physique, ou encore des intrigues politiques qui avaient pour but la mort de la reine ?

Nous nous rappelons en tout cas que Toutankhamon avait 11 ans lorsqu'il avait épousé la troisième fille de Nefertiti, qui ne comptait elle-même que 9 printemps. Nous savons maintenant que ce mariage était resté sans enfant. Si Toutankhamon avait eu une progéniture, les Egyptiens n'auraient pas connu la dynastie des Ramsès qui, eux, avaient soumis les Hébreux en Egypte, avant que Moïse leur libérateur ne soit né.

Du côté ouest, se trouvait une armoire dorée d'une hauteur de 2 m et d'une largeur de 1,50 m. A chaque coin il y avait des déesses : Isis, Nephtis, Neith et Yelket, magnifiques figurines en or massif.

Le fronton de l'armoire représentait des têtes de serpents sacrés, portant chacune un disque solaire. Dans cette armoire, il y en avait une deuxième similaire. Après avoir démonté ces deux meubles, on se trouvait devant une petite chapelle d'albâtre reposant sur un socle en or. L'autel était fermé avec un ruban d'or, il contenait deux magnifiques bustes du roi en albâtre blanc. Quatre têtes servaient de bouchons à quatre cruches de pierre. Dans chacune de ces cruches, il y avait un tube contenant un petit cercueil d'or massif et chacun de ces cercueils contenait les viscères du roi.

Les Egyptiens considéraient les organes internes comme des êtres divins car ils poursuivent leurs fonctions sans trêve, même lorsque l'être humain est endormi. Un papyrus vante donc l'estomac : « Il ne nous a fait aucun mal de notre vivant. Nous avons bu chaque jour jusqu'à l'ivresse. Nous avons mangé du gibier et des poissons autant qu'il nous plaisait ; nous nous sommes bien nourris et nous nous sommes toujours bien reposés. »

Le cœur et le cerveau avaient été placés à part, car c'était la déesse Imsté qui les protégeait. Les poumons étaient confiés à la déesse Lépi, le foie à la déesse Dur-Mutaf, et l'estomac et les intestins avaient été dédiés à la déesse Kébé-Snewef.

A gauche, les canopes dans la chapelle d'albâtre ;
à droite, les quatre têtes-portraits servant de bouchons.

Dans le corps, à la place du cœur avait été déposé le scarabée sacré. Ce qui nous étonne le plus aujourd'hui, c'est que nous apprenons par les hiéroglyphes que tous les objets que le tombeau du roi contenait avaient dû être fabriqués en soixante-dix jours, le temps prescrit d'après les rites pour embaumer le corps du roi.

Ainsi ce pays avait grandi dans la crainte des dieux, dans le culte des aïeux et dans la société constante des fantômes. Les hommes étaient obéissant jusqu'au fanatisme. Le dieu était le pharaon, muni d'une cravache, et Thèbes sa capitale. C'est là que les rois s'étaient réfugiés avec leurs croyances dans l'Au-delà.

C'est là qu'ils pensaient pouvoir cacher leurs corps et leurs tombeaux. Mais l'archéologie moderne a vidé leur retraite. L'ironie de l'histoire l'a ainsi voulu. La curiosité d'une postérité avide de science a témoigné de plus de flair que les pilleurs des tombeaux.

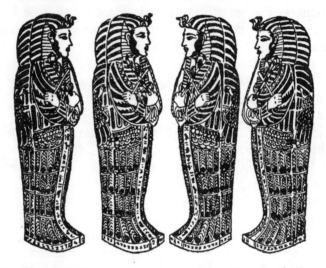

Dans les quatre canopes se trouvaient quatre petits cercueils d'or pur contenant les entrailles du roi ; chacun mesure 39 cm et pèse 15 kg.

Toutankhamon est mort à l'âge de 21 ans, d'une façon inattendue. Son tombeau ne peut donc être qu'un petit tombeau, rapidement préparé, comparé à ceux des autres rois qui avaient eu le loisir de préparer leur pyramide tout au long de leur règne et néanmoins, tout nous y paraît tellement grand et tellement fastueux !

Qu'ont pu contenir les tombeaux des grands pharaons ? Par exemple, les sept chambres mortuaires de Ramsès le Grand ou le tombeau de Cléopâtre ?

Ou ces tombeaux qui contenaient douze chambres mortuaires et plus ? Ou le tombeau de Philops avec ses trente et une pièces ?

Regardons simplement celui du pharaon Séti Iᵉʳ, qui était également le bâtisseur d'Abydos. Cette construction se trouve à plus de 100 m à l'intérieur des rochers. Des escaliers et des couloirs mènent dans une grande pièce et ensuite d'autres escaliers et d'autres couloirs s'enfoncent dans la terre et mènent dans une immense salle, dont la voûte est soutenue par six immenses piliers, sous lesquels se trouvait le merveilleux cercueil d'albâtre. Les murs étaient ornés de bas-reliefs et d'incrustations qui égalent ceux d'Abydos. On ne peut, hélas, que faire des suppositions sur toute cette pompe, depuis qu'on connaît le modeste tombeau de Toutankhamon avec ses quatre chambres et les trois mille cinq cents objets qu'on y découvrit.

Le culte des morts fut pratiqué en Egypte pendant 4 700 ans. Pendant ce même temps, non seulement les pharaons, mais chaque famille, sacrifiaient aux morts tout ce qu'ils possédaient de plus précieux.

Pendant des milliers d'années, il y eut au moins cent cinquante millions de morts sur les bords du Nil. Ceci nous donne une idée des trésors qui doivent reposer encore dans le sol de l'Egypte.

Des tombeaux des deux cent quatre-vingt-quinze pharaons nous n'en connaissons que soixante ou soixante-dix. Il y a aussi des milliers de princesses, de princes, de reines, et de prêtres et de vizirs. Qu'ont-ils contenu ? Allons-nous découvrir un jour tous ces trésors ?

Le sol de l'Egypte est régulièrement fouillé par des expéditions. En 1939, le professeur Montet avait découvert quelques tombeaux de la XXIᵉ dynastie et de la XXIIᵉ dynastie. Le professeur Sami Gabra trouva de nouveaux tombeaux du pieux Ibis et les savants Ahmeb Badawi et El-Amir découvrirent en 1941, près de Memphis en Basse-Egypte, un tombeau inviolé, celui du prince Shétang de la IIIᵉ dynastie, mais rien n'est comparable au tombeau de Toutankhamon. Le tombeau de ce pharaon a aidé à résoudre bien des problèmes archéologiques, mais il en reste d'autres !

Bien que ces trouvailles mystérieuses nous donnent un aspect de la grandeur de la civilisation égyptienne, nous savons pertinemment qu'elles appartiennent à une période en pleine décadence. L'Egypte avait alors de graves soucis et était sans cesse bouleversée par des compétitions en vue d'atteindre le pouvoir.

Tous les objets du tombeau de Toutankhamon ont été remis au musée du Caire, pour que les collectionneurs et les trafiquants d'antiquités ne puissent en profiter. On reconnaîtra comme un acte de piété le fait que le sarcophage ainsi que la momie furent ramenés dans le tombeau pour leur assurer la paix éternelle.

Howard Carter n'a jamais écrit d'ouvrage scientifique traitant de sa découverte. Le plan en était fait, il est vrai. Breastead devait en écrire la partie historique ; mais ce ne fut qu'un projet. Carter se borna à publier quelques récits qui forment trois volumes sous le titre de : « Tut-ank-Amon, une tombe royale en Egypte. » En 1932, la tombe était entièrement vidée. Carter est mort en 1939, à l'âge de soixante-six ans. Toutes ses photographies, ses dessins, ses notes sont conservés en Angleterre. Qui songera à publier un jour cet ouvrage gigantesque ?

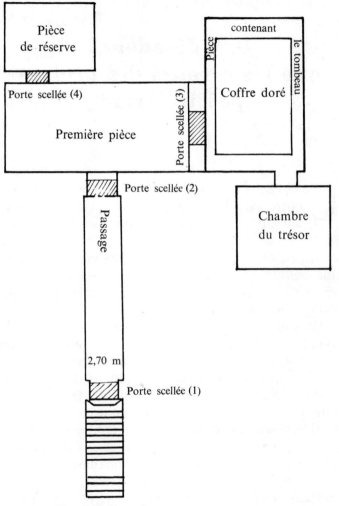

Pièce
de réserve

Porte scellée (4)

Première pièce

Porte scellée (3)

contenant

Pièce

Coffre doré

le tombeau

Porte scellée (2)

Passage

Chambre
du trésor

2,70 m

Porte scellée (1)

Escalier d'entrée

*Plan du tombeau de Toutankhamon ;
il couvre une surface de 93 m² à l'intérieur de la terre.*

CHAPITRE XI

Une décadence
que les erreurs des prêtres
précipitèrent

L A JOUE gauche de la momie de Toutankhamon
porte une blessure qui, due peut-être à une
tentative d'assassinat, a pu causer sa mort.
Peut-être des fanatiques du dieu Aton voulurent-ils
le venger, car le pharaon était à leurs yeux un traître.
Une tentative indirecte contre la puissance des prêtres expliquerait pourquoi ceux-ci pourvurent le roi
d'une tombe aussi magnifique.

Mais où en était la succession au trône ? Enches-
Amon, épouse de Toutankhamon, n'avait accouché
que de deux filles mort-nées, aussi les querelles politiques furent-elles très violentes autour de cette succession. D'un côté, Bekanchos qui tentait de satisfaire les exigences insatiables des prêtres, du côté
royal la régence était confiée à la reine mère Nefertiti.
Mais, pour triompher, chacun des partis n'avait que
soixante-dix jours, le temps de l'embaumement.

L'admirable concordance des recherches archéologiques nous permet de reconstituer aujourd'hui ce
drame lointain. Nous rappelons la découverte, en
1887, à Armana, des documents en caractères cunéiformes. Quelques-uns provenaient du pays des Hitti-

tes et, pendant des dizaines d'années, on ne put saisir le sens de ce qui y était exprimé, puisqu'on ignorait l'incident qui avait amené à les écrire. Par hasard, on trouva en 1936, à Bogazkoy (Turquie), deux inscriptions cunéiformes qui donnèrent enfin l'explication du mystère. Selon ces inscriptions, la reine Enches-Amon avait envoyé au roi des Hittites, Schoubouliuma, une missive ainsi conçue :

« Je n'ai pas d'époux. Tes fils sont grands, envoie-moi l'un d'eux afin qu'il soit mon époux et je t'enverrai de l'or et des cadeaux... »

Ainsi que nous le rapporte une inscription à Amarna, le roi des Hittites fut fort surpris. Il est vrai qu'il se promettait de grands avantages d'une alliance avec la riche Egypte, mais une certaine méfiance le poussa à se montrer prudent et il adressa un message à Amarna demandant quelques explications. A quoi la veuve répondit, un peu agacée :

« Que signifie ce message dans lequel tu dis : elle veut me tromper ? Mon époux est réellement mort et je n'ai pas de fils. Envoie-moi l'un de tes fils, il sera mon époux et roi d'Egypte. »

De bonnes relations existaient entre les deux pays en ce temps-là ; d'ailleurs, les membres de leurs familles princières se sont souvent mariés en échangeant princes ou princesses d'un pays à l'autre, ou encore on échangeait des princesses pour les harems royaux. Aussi le roi des Hittites, oubliant ses hésitations, envoya un de ses fils accompagné d'une suite en Egypte. Mais personne n'atteignit le but du voyage. La caravane se trouva-t-elle en difficulté ? Sans doute fut-elle capturée par ceux qui y trouvaient leur intérêt.

Cependant il fallait agir à Amarna. Le père de

Nefertiti, le prêtre Eje, épousa la jeune veuve Enches-Amon, sa petite-fille. Il se croyait, par ce mariage, habilité à régner et devint pharaon. Une peinture dans la tombe de Toutankhamon confirme cette succession singulière. Mais la paix n'en régna pas pour autant aux alentours du trône. Eje qui avait été prêtre d'Amon, puis d'Aton et favori d'Akhnaton, redevenu fidèle d'Amon et même pharaon, ne pouvait convenir à la hiérarchie des adorateurs d'Amon.

Eje avait atteint la vieillesse et n'occupa le trône d'Egypte que peu de temps. Sa mort fut-elle naturelle ? Non, sans doute, car il avait des ennemis déclarés. Il semblait que pour Bekanchos l'heure fût venue de prendre le pouvoir. Nefertiti était encore belle et charmante, le prêtre Bekanchos, qui l'aimait depuis l'enfance, osa proposer à la reine de s'unir à lui. Nefertiti, qui méprisait le grand prêtre, appela à son secours le général Horemheb qui perça de son glaive la poitrine du prêtre détesté. La reine couronna ensuite le général qui devint ainsi roi d'Egypte au côté de Nefertiti.

La XVIII° dynastie s'était éteinte avec Eje. Elle avait été, en puissance et magnificence, la plus grande de toutes celles qui régnèrent sur l'Egypte. Ce fut de son temps que fut créé l'empire le plus puissant qui eût existé avant le Christ. La XIX° dynastie commença donc avec le roi Horemheb. Bien qu'il eût réorganisé l'armée et qu'il régnât en adorateur fervent d'Amon, il ne lui fut pas possible de rétablir la paix intérieure. L'atmosphère restait chargée d'inquiétude.

Dans la garde commandée avant son avènement par Horemheb, il y avait un jeune officier du nom de Ramsès, nature puissante, fidèle d'Amon et dévoué au prêtre Bekanchos, avec lequel il avait jadis établi des plans en vue de la domination politique de l'Egypte.

Ramsès s'était déclaré le champion de l'armée. Il promit que les soldats toucheraient l'arriéré de leur solde et promit aux officiers une situation plus brillante ; un jour, une sanglante rébellion militaire éclata à la cour et l'Egypte se vit gratifiée d'un nouveau pharaon, Ramsès.

Ramsès II poursuit ses ennemis. On a retrouvé plusieurs de ces chars de guerre avec leur harnais de cuir pour les chevaux, dans la tombe de Toutankhamon (B.N. Est).

Ramsès Ier avait le sens de la grandeur. Il fit l'armée puissante et fit venir des légionnaires de Nubie, d'Afrique, de tous les pays du monde antique. On modernisa les armements et il y eut bientôt des lanceurs de poix enflammée, ou de phosphore, ou de soufre... des matraqueurs, archers, lanciers montés, enfin des chars blindés. La flotte elle-même fut modernisée et l'on creusa un nouveau canal entre le Nil et la mer Rouge. Rien ne devait plus rappeler la mansuétude du pharaon Akhnaton.

Et le peuple ? Il recommença à payer des impôts, doublés puis triplés. Les temples et les prêtres durent également s'exécuter ; ils étaient même tenus de donner le bon exemple.

Ramsès Ier mourut bientôt. Son fils Séti poursuivit son œuvre et son armée remporta en Babylonie ses premières victoires. Ce pharaon régna également peu de temps. Lorsqu'il se sentit malade, il établit son fils Ramsès II sur le trône d'Egypte.

Nul ne se doutait alors que sous Ramsès II l'Egypte jouirait à nouveau d'une immense hégémonie politique. Il fit élever des temples à Amon dans tout le pays, les plus grands à Thèbes. Il construisit des forteresses et consolida les défenses des frontières.

Finalement, il reprit les expéditions contre les Babyloniens. Revenu victorieux, il s'attaqua à d'autres peuples et les pilla. Il est dit sur une stèle que les armées égyptiennes traversèrent souvent la plaine de Jezréel : c'est la vieille route d'invasion des Egyptiens vers la Mésopotamie contournant le mont Carmel à l'est, passant devant Harmageddon (en hébreu Har Megiddon, en grec Meguiddo). C'est là que Thoutmosis a déjà livré des combats victorieux, c'est là qu'eut lieu le combat auquel fait allusion le chant de Deborah (Juges, 5). C'est là que le roi Josué de Juda s'est mesuré avec le pharaon Necho II (Rois, 23). Ici combattirent Bonaparte et, en 1860, Napoléon III contre les Turcs. Sur ces routes guerrières, allant de Tanah à Meguiddo, se rencontrèrent.

en 1917, les armées anglaise et allemande. Mais c'est Ramsès II qui a le plus combattu en ce lieu. Dans la cinquième année de son règne, il traversa cette plaine, se rendant en Syrie où s'étaient établis les Hittites, un peuple de paysans laborieux aux yeux bleus qui était originaire de l'Asie mineure.

Sûre de sa force, l'armée de Ramsès s'élançait vers Charabon (aujourd'hui Alep), dans la vallée du Litani (aujourd'hui l'Oronte) qui s'écoulait entre deux chaînes montagneuses du Liban. Les armées des Hittites et celles de leurs alliés s'étaient massées derrière la petite ville de Kadech, aussi l'avant-garde de Ramsès se trouva-t-elle en difficulté. Bien qu'entouré de chars de guerre ennemis, Ramsès se jeta sur ses adversaires en s'écriant : « Il n'est avec moi ni prince, ni guerrier monté dans un char, ni officier, ni infanterie ! » Et, comme il se trouvait en grand péril, il se confia au dieu Amon dans cette prière :

« Qu'est-ce donc, mon père Amon ? Un père peut-il oublier son fils ? Ai-je jamais rien fait sans toi ? Dans tout ce que j'entreprenais, j'agissais selon ta volonté. Qu'il est grand le maître de Thèbes ! Que sont ces Asiates pour toi, Amon, ces misérables qui ignorent dieu ? J'ai élevé maints monuments en ton honneur et j'ai empli ton temple de captifs. Je t'ai bâti un temple éternel. Je te ferai sacrifier dix mille bœufs et j'enverrai au loin mes navires afin de te rapporter les trésors des pays éloignés.

« Je fais appel à toi, mon père Amon. Je suis au milieu de mes ennemis, ceux-là, qui ne te connaissent point. Toutes les nations se sont unies contre moi, je suis tout seul, mes soldats m'ont abandonné et aucun des guerriers montés sur les chars de combat ne s'est retourné pour s'inquiéter de moi. Lorsque je les ai appelés, aucun d'eux ne m'a entendu. Cependant, j'implore Amon et voici que je sens qu'il est meilleur pour moi que des millions de fantassins et des centaines de mille de guerriers montés sur des chars ! Bien que j'adresse ma prière du pays le plus éloigné, ma voix atteint Hermontis. »

Alors il semble au roi qu'il entend la voix d'Amon qui lui dit : « En avant ! Je suis avec toi, moi, ton père, qui dispense la victoire... » Ramsès sentit en lui un courage renouvelé et sa situation changea ; aussi s'adressa-t-il à nouveau au dieu en ces termes :

« J'ai retrouvé mon cœur, il est gonflé de joie, ce que je veux faire s'accomplit ! Je suis semblable au dieu de la guerre Mout, je tire vers ma droite et combats sur ma gauche. Je suis comme le dieu Baal lorsqu'il est furieux. Je vois que les deux mille chars de guerre au milieu desquels je me trouvais gisent brisés, en pièces, devant les sabots de mes chevaux. Aucun de mes ennemis n'a osé lutter, leurs cœurs sont épuisés et leurs bras sont affaiblis. Ils ne tirent pas et le courage leur manque pour saisir leur lance. Je les laisse tomber à l'eau comme des crocodiles. Ils tombent l'un après l'autre et je tue qui je veux parmi eux. »

Pleins d'effroi, les Hittites s'interpellaient désespérés : « Ce n'est pas un humain, c'est le dieu Suteh, le très-puissant ! Baal est dans ses membres ! Ses actions ne sont point humaines, fuyons afin d'échapper à la mort ! »

Les Egyptiens s'étaient rassemblés et la bataille continuait à faire rage. Alors les ennemis s'humilièrent et baisèrent le sol devant Ramsès. Cependant le roi Hittite Wuwattal implorait sa grâce dans une missive :

« Est-il donc juste que tu tues tes serviteurs ? Hier, tu en tuas cent mille, aujourd'hui tu sembles ne pas vouloir laisser en vie un seul de nos héritiers ! Ne te montre pas impitoyable envers nous : la mansuétude est préférable, laisse-nous respirer ! »

La bataille de Kadech fut bien une victoire égyptienne, mais ce ne fut pas un succès durable. Les années suivantes, la lutte continua. Enfin les pays en lutte conclurent un accord. Ce traité nous est parvenu en deux exemplaires, dont l'un est en égyptien dans le temple de Karnak, l'autre en cunéiforme dans les archives hittites à Bogazkoy.

Les prêtres d'Amon étaient satisfaits. Il nous est revenu qu'une fois Ramsès leur livra cent sept mille esclaves et de nombreuses terres de rapport. Les prêtres possédaient cinq cent mille bêtes à cornes ; cent soixante-neuf villes devaient des tribus aux temples.

Ramsès II a été immortalisé dans le temple de Karnak. On l'y voit debout devant l'autel, tenant un encensoir dans les mains. Nous voyons aussi des bas-reliefs et des inscriptions qui nous vantent la magnificence de ses offrandes, et nous disent combien de mains coupées à ses ennemis il a déposées sur l'autel.

Afin d'empêcher désormais les drames autour de la succession au trône, Ramsès II voulut créer une pure race pharaonique. Dans ce but, il épousa deux cents femmes de son harem, choisies avec soin et engendra quatre-vingt-dix-huit fils et soixante filles. Il se maria également avec ses filles parvenues à l'âge nubile et avec elles engendra d'autres enfants. Les Egyptiens ne redoutaient ni la consanguinité ni l'inceste. D'ailleurs, le pharaon était dieu, ce qu'il décidait était toujours juste. Les poètes ont loué les œuvres de Ramsès.

Buste d'une fille de Ramsès II, musée du Caire (photographie Bulloz).

Ramsès II vécut quatre-vingt-seize ans, régna soixante-cinq ans, fit vingt guerres. Il est allé retrouver le dieu Osiris sous le nom de « Ramsès le Grand ». Les prêtres lui offrirent une tombe magnifique et le Ramsesseum, un temple grandiose, qui, aujourd'hui encore, est une des merveilles de ce monde.

Son fils Mernephtah régna dans le même esprit que son père. C'est au temps de ce « méchant » pharaon qu'eut lieu l'exode (Moïse, II, Départ du peuple juif hors d'Egypte). C'est alors que pour la première fois fut écrit le mot Israël. C'étaient des Juifs qui, sans doute, étaient venus jadis captifs en Egypte, accompagnés de femmes et enfants. Ils s'y étaient acclimatés dans la servitude.

Aux prophètes hébraïques apparaissait en songe un maître plein de justice. Ils appelaient de leurs vœux un Messie qui devait les mener vers une époque paradisiaque où régneraient la justice sociale et la liberté individuelle.

7. — *Et l'Eternel dit : « J'ai très bien vu l'affliction de mon peuple qui est en Egypte et j'ai entendu le cri qu'ils ont jeté à cause de leurs exacteurs et j'ai connu leurs douleurs. »*
8. — *Aussi suis-je descendu pour le délivrer de la main des Egyptiens* (Exode, III).

Les prophéties qui revigorèrent Israël sont une des plus fortes manifestations de cette époque, au cours de laquelle naquit l'idée de la lutte à engager contre les injustices sociales.

C'est pendant cette époque de servitude que se précisèrent les pensées qui, des siècles plus tard, devaient inspirer ceux qui écrivirent le Nouveau Testament. En ce temps-là aussi se forma la conception d'un dieu unique. Mais il demeura le dieu national des Juifs : « Je te livrerai tous les peuples en pâture car toi, Israël, tu es le peuple élu. »

Après Mernephtah, Ramsès III régna dans le même esprit. Lui aussi a comblé les temples de richesses ; des 113 483 esclaves dont il fit cadeau, 86 486, furent offerts aux temples. Il a remis 32 000 kg d'or aux prêtres ainsi que 185 000 sacs de grains chaque année. Le même papyrus nous annonce d'autres dons au dieu Amon et à ses prêtres : 2 400 champs cultivables, 83 navires, 46 chantiers et 420 000 têtes de bétail. Naturellement, ces cadeaux étaient retranchés des biens du peuple. Les prêtres d'Amon étaient insatiables.

A deux reprises, Ramsès III vainquit les Libyens : ils baignaient dans leur sang en monceaux de cadavres... A l'issue de la première bataille, on compta 12 530 hommes abattus. Et les hiéroglyphes de nous apprendre encore : « Ceux que le glaive avait épargnés, je les poussais devant mon cheval comme des oiseaux aux ailes liées. Leurs femmes et leurs enfants se comptaient par milliers et leur bétail par dizaines de mille. » Au British Museum, un papyrus qui compte 79 pages géantes énumère tout ce que le roi a fait en l'honneur de la divinité.

Dans la trente-cinquième année de son règne, Ramsès III fut victime d'un complot fomenté dans son harem, ainsi que nous l'apprend un papyrus déposé à Turin. Une des principales concubines essaya de faire monter sur le trône son fils Pentor. Mais le dieu Amon « ne laissa pas prospérer ces méchants desseins ». Un autre prince succéda à Ramsès III sous le nom de Ramsès IV et celui-ci fit disparaître les conjurés. Cependant le peuple devait ignorer ce crime, aussi le cas ne fut-il pas « réglé » par des juges mais par les grandes charges de la cour, qui décidèrent que le prince Pentor, sa mère et quelques eunuques et gardiens des portes auraient à se suicider.

C'est un triste tableau que nous décrit encore le même papyrus. Il révèle que la puissance de la royauté, malgré toute sa splendeur, avait été ébranlée par le drame humain qui dominait cette époque. L'Egypte s'appauvrit de plus en plus ; les six Ramsès qui se succédèrent furent incapables d'arrêter sa décadence. Après Ramsès XI, le grand-prêtre Heridor s'empara du trône, le nouvel empire finit là-dessus.

Mais il existait encore de grandes richesses créées par l'esprit des humains au cours d'une civilisation remarquable. Il semblait qu'elles fussent près de sombrer, aussi la lutte se poursuivit-elle.

Le roi Sheshong (Sisak dans la Bible) conquit, en 930 av. J.-C., une fois de plus la Palestine, battit le roi Geroboam qui succéda à Salomon et pilla Jérusalem. Cependant Sheshong dut abandonner la Palestine et plus encore ; l'Egypte connut de grands revers et devint une des provinces d'Assyrie.

Le pharaon Psammetique (de race libyenne) fonda la XXVIᵉ dynastie et put à nouveau libérer l'Egypte, mais il dut renoncer à la Nubie. Le roi Necho montra à nouveau quelque puissance. Il reprit les expéditions guerrières en Palestine (victoire sur Juda à Megide, en 609), mais il fut battu par le Babylonien Nabuchodonosor.

Le pharaon Amasis (550 av. J.-C.) favorisa la pénétration de son pays par les Grecs, leur abandonna la ville de Naucratis dans le Delta et s'allia à Polycrate de Samos.

Sous Cambyse, l'Egypte, 525 ans av. J.-C., devint une province persane et le demeura 200 ans jusqu'à ce qu'une nouvelle étoile, celle d'Alexandre le Grand, conquît l'Egypte. Ce pays connut alors une sorte de renaissance et refleurit de maintes manières, mais le temps du plein épanouissement était passé.

César, enfin, fit de l'Egypte une province romaine. N'oublions pas un pharaon de cette époque : la reine Cléopâtre.

Parmi les éternels problèmes qui se posent pour l'archéologie, celui de l'emplacement du tombeau de la reine Cléopâtre est le plus brûlant. D'après les écrits, ce lieu de repos est sans doute un des plus riches qui aient été construits dans l'Antiquité. Le docteur Gonheym est convaincu que ce monument funèbre se trouve à Thèbes et il espère le découvrir dans un prochain avenir. Gonheym est résigné à passer ses jours dans le désert, parmi les indigènes. Il ne vit plus que pour poursuivre sa tâche, bien qu'il sache qu'il ne verra pas la fin de ses travaux. Cléopâtre est montée sur le trône à 17 ans. Les textes nous apprennent qu'elle était très intelligente, énergique et digne de ses ancêtres, les Ptolémées. Très jeune, elle dû lutter pour sa vie et pour son trône ; elle gagna plusieurs guerres, mais perdit la bataille contre Rome. On se plaît à désigner Cléopâtre comme une femme vicieuse et facile, certainement à tort car elle avait bien le droit d'aimer et de détester. Mais son intelligence la servit, elle sut mener le jeu des intrigues politiques dans l'intérêt de son pays.

Cette reine était une des femmes les plus belles, les plus désirables et désirées de l'Antiquité. On dit que Jules César l'avait profondément aimée. Lorsqu'il l'avait rencontrée à Alexandrie, il avait joué sa vie pour la gagner et Cléopâtre, qui avait pourtant l'habitude de dominer, s'inclina devant lui et le suivit à Rome. Ce changement de vie dut être dur pour elle, car, à Rome, elle ne trouva ni le luxe ni la civilisation auxquels elle était accoutumée. Elle donna un fils à César, que les savants appellent Césarion et qui, plus tard, régna à côté de sa mère sous le nom de Ptolémée XVI. César luttait pour son empire, dont le centre était Rome. Resterait-elle la capitale ?

Plus tard, ce fut Constantinople qui prit le pas et beaucoup d'historiens prétendent que Cléopâtre avait voulu convaincre César de faire d'Alexandrie la capitale. Il n'est pas impossible qu'il y ait eu un rapport entre son assaninat et ces questions. Après la mort de César, la lutte pour le trône de Cléopâtre s'intensifia. Les assassins de César furent vaincus à Philippes, par le deuxième triumvirat : Antoire, Octave et Lépide.

Cet événement marqua une nouvelle période dans la vie de Cléopâtre. Elle se lança dans un jeu dangereux, dont sa beauté et son charme étaient les gages, afin de gagner Antoine.

En 41 av. J.-C., à bord d'une galère somptueuse, elle entreprit le voyage de Tarsos, pour aller rejoindre son vainqueur. Les voiles pourpres de la galère se gonflaient et l'or de sa poupe brillait.

Cléopâtre était comparable à Aphrodite, reine de l'amour et de la beauté, sortie de l'écume de la mer... Ainsi arriva-t-elle à ses fins...

Antoine séjourna à Alexandrie de 41 jusqu'en 31 av. J.-C. Il avait les mêmes ambitions que César et voulait constituer à l'est un grand empire, qui assurerait la liaison entre l'Arabie, les Indes et la Chine.

Il en vint ainsi à se brouiller avec Octave et fut vaincu par lui à la bataille d'Actium. Cléopâtre s'enfuit du camp d'Antoine, revenue à Alexandrie, elle rassembla toutes ses énergies : elle voulait de nouveau conquérir son vainqueur qui, cette fois, était Octave.

Accompagnée seulement de deux servantes et d'un eunuque, elle entreprit des pourparlers avec Octave.

Mais, avisée et prudente, elle fit essayer sur des esclaves le poison le plus foudroyant pour le corps humain, afin de s'assurer une retraite dans l'autre monde, si ses efforts échouaient. Octave était un politicien froid et calculateur. Cléopâtre dut reconnaître bientôt qu'elle n'arriverait jamais à l'apaiser. Mais un jeune officier romain, qui était amoureux d'elle, lui dévoila tous les plans de son ennemi.

Il lui apprit qu'elle devait être amenée à Rome et conduite en triomphe à travers la Via Triumphale pour subir ensuite le supplice de la potence.

Cléopâtre n'avait certes pas l'intention de finir ainsi. Elle se fit donc préparer un festin ; un paysan lui apporta une corbeille de figues qu'elle aimait. Elle s'arrangea pour faire éloigner les sentinelles romaines. Lorsque celles-ci revinrent, la reine Cléopâtre était morte, étendue sur son lit de parade, parée de tous ses bijoux. Elle s'était empoisonnée.

Les Romains comprirent l'héroïsme qui avait poussé cette grande reine à se tuer. A l'heure actuelle il nous apparaît que cette femme exceptionnelle avait toujours agi dans l'intérêt de son pays, alors en pleine décadence et humiliée par l'occupation romaine, et nous rendons hommage à sa grandeur.

On ignore si les Egyptiens réservèrent à leur reine, qu'ils aimaient tant, le faste de funérailles royales dignes d'elle. C'est aux archéologues de retrouver son tombeau.

Obélisque à Alexandrie, gravure du XVIIIe *siècle (B.N., Est).*

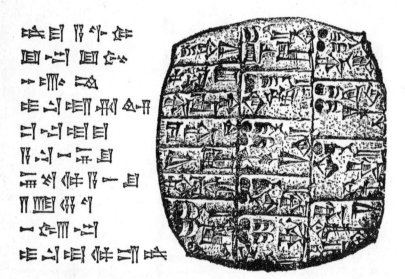

1) ⌗ *Nisânu.* 2) ⌗ *Ajaru.* 3) ⌗ *Simânu.*
4) ⌗ *Du'uzu.* 5) ⌗ *Abu.* 6) ⌗ *Ulûlu.* 7) ⌗
⌗ *Tišrîtu.* 8) ⌗ *Araḥsamna.* 9) ⌗ *Kisilîmu.* 10) ⌗
Tebetu. 11) ⌗ *Šabaṭu.* 12) ⌗ *Addaru.*

Texte cunéiforme babylonien. Les dix lignes reproduites à gauche compo-
sent le premier paragraphe des lois dont il a été parlé. A droite, le
texte imprimé dans l'argile. En bas les noms des douze mois de l'année.
Il existe aussi une écriture cunéiforme sumérienne et une persane.

CHAPITRE XII

L'Egypte
disparut comme Babylone...

Nous venons de donner un aperçu de l'histoire égyptienne, mais comme elle est étroitement liée à celle de l'Orient, il est indispensable d'étudier les répercussions qu'a eues sa décadence sur les autres civilisations orientales.

En 1913, on pouvait encore lire dans l'histoire mondiale la plus célèbre de l'époque : « Nous ignorons toute l'histoire des Sumériens. » Ceci n'est plus vrai aujourd'hui. Depuis, les archéologues ont pu jeter quelque lumière sur l'histoire de ce peuple.

Les fouilles de Mésopotamie, pays qu'on appelle aujourd'hui l'Irak et qui est situé entre l'Euphrate et le Tibre, nous ont apporté de nouvelles et étonnantes connaissances.

Les Juifs, les Grecs et les Romains ignoraient tout des Sumériens. Hérodote même ne les a jamais mentionnés. Seul Bérosus, savant qui avait vécu en 250 av. J.- C. à Babylone, en parle parfois mais ne nous a transmis que d'obscures légendes. Et au XIXᵉ siècle, les savants étaient incapables de déchiffrer le moindre signe de la langue de ce peuple. Ce fut seulement l'Allemand Georg Friedrich Grotefond

271

(1775-1853) qui trouva une méthode efficace pour la déchiffrer. Plus tard, le savant Julius Oppert y ajoutait les travaux qu'il fit au nom du gouvernement français. C'est lui qui a donné le nom de Sumérien à ce peuple étrange, à cause de la forme de son écriture cunéiforme. Ensuite ce fut l'Anglais Rawlinson, diplomate en Perse et savant par goût de l'archéologie, qui réussit à déchiffrer une tablette sur laquelle était gravée également la traduction en babylonien. De longues années se sont évidemment encore passées avant qu'on ait pu déchiffrer les cinq cents signes de cette écriture qui était imprimée avec des sortes de tampons dans des tablettes de glaise. On a découvert un grand nombre de ces tablettes. Il y avait plusieurs sortes de ce genre d'écriture. Ces textes en cunéiforme nous relatent beaucoup de détails de l'histoire de l'Orient. Mais tout cela est encore insuffisant. Il y avait autant de langues en Orient que de peuples et de tribus et ces dernières étaient nombreuses. Les peuples les plus primitifs ont un langage, mais seuls ceux qui ont une civilisation suffisante disposent d'une écriture. Entre autres, nous avons trouvé les écritures suivantes : les écritures chétitite, crétoise, ancienne persane, ancienne méroïte, sumérienne, phénicienne, hébraïque, araméenne, syrienne, arabe, grecque et kopte.

Leurs déchiffrages représentent un effort magnifique de la part des savants modernes et elles servent toutes de clef à l'histoire ancienne. La compréhension de ces écritures nous aide à conserver les traditions anciennes et à les transmettre aux générations futures.

Au musée des antiquités d'Istanbul, des milliers de textes cunéiformes se trouvent réunis qui n'ont pas encore été lus. Parmi eux, on trouva la stèle des lois du roi Hammourabi, qui vivait 1700 ans av. J.-C. Nous le tenions pour le plus ancien légiste des royaumes du Proche-Orient, mais des fouilles exécutées en 1949 firent découvrir d'autres textes en cunéiforme et, en 1951, le professeur Kramer, de Philadelphie, spécialiste de la littérature sumérienne, lut un document qui était l'énoncé d'une loi du roi Urnammon, en 2050 av. J.-C. Ce roi avait élevé plusieurs temples et surtout la tour en étages dont la ruine existe encore à Ur. Les lois du roi Urnammon s'opposent aux lois sémitiques d'Hammourabi, du vieil Assur et de la Bible, surtout à la loi du talion : « Œil pour œil, dent pour dent. »

On peut citer, par exemple, une tablette concernant les lois du roi Hammourabi (1604 à 1536 av. J.-C.). Il s'agit là de huit paragraphes concernant les esclaves :

§ I. — *Celui qui capture un esclave ou une esclave évadé et le ramène à son maître doit recevoir de lui deux pièces d'argent.*

§ II. — *Lorsque l'esclave refuse de dire le nom de son maître, il doit être amené au Palais et après enquête il faut le rendre à son maître.*

§ III. — *Celui qui garde un esclave évadé sera tué.*

§ IV. — *Si un esclave réussit à s'évader des mains de celui qui l'avait capturé, il faut que ce dernier jure de sa bonne foi sur Dieu et il sera libéré de toute responsabilité.*

§ V. — *Lorsqu'un esclave bat son maître il faut lui couper une oreille.*

§ VI. — *Lorsqu'un architecte construit une maison si cette maison n'est pas solide, tombe en ruine et tue son propriétaire, l'architecte doit être tué de même.*

§ VII. — *Si à cette occasion, le fils du propriétaire perd aussi la vie, il faut également tuer le fils de l'architecte.*

§ VIII. — *Si dans un tel accident l'esclave d'un propriétaire de la maison est tué, il faut que l'architecte fournisse un autre esclave.*

Il nous a été transmis du document Prismain rédigé sous Tiglat-Pilesers Ier (1116-1101) des détails sur une période de guerre. La traduction littérale en est : « J'ai poursuivi soixante rois des pays Nairi ainsi que leurs alliés jusqu'au lac Supérieur Van. J'ai conquis leurs villes et fait beaucoup de butin de guerre. J'ai incendié et dévasté ces villes. J'ai pu ramener de grands troupeaux de bétail et j'ai fait prisonniers les rois des pays Nairi. Mais je les ai graciés et leur ai rendu la vie.

« Devant le dieu du Soleil mon Maître, j'ai défait leurs liens et je les ai obligés à jurer l'esclavage éternel.

« J'ai gardé leurs fils comme otages, et ils doivent payer chaque année 1 200 chevaux et 2 000 bœufs. A ces conditions, je leur ai permis de repartir dans leurs pays. »

D'autres tablettes nous donnent beaucoup de détails sur Babylone et l'Assyrie. Nous connaissons presque tous leurs rois, et les périodes de leurs dynasties, ainsi que leurs actions et les méfaits qui entraînèrent leur perte.

En 1864, deux Anglais ont déterré les villes

anciennes d'Ur, Erédu, et Urul. La ville de Lagash fut seulement découverte vers la fin du XIXe siècle par des archéologues français, ainsi que des pierres qui nous donnent des indications sur les rois sumériens.

Le professeur Woolley, de Pennsylvanie, ainsi que le savant allemand Roberd Koldewey poursuivirent les recherches dans la ville d'Ur. Lorsque les savants eurent mis au jour le premier cimetière, les tombeaux ont fait connaître aux égyptologues les caractéristiques de ce peuple ancien.

Un anthropologue anglais qui avait étudié leur forme de visage, le volume de leur cerveau, et leur crâne, nous fait le rapport suivant : « Les Sumériens ont la même tête allongée et la même ossature que les Anglais d'aujourd'hui. »

Nous savons que la civilisation sumérienne commença, au moins, en 4500 av. J.-C. A cette époque, des prêtres arrivèrent dans le pays des deux fleuves, y apportant de grandes connaissances, mais on ignore totalement d'où ils venaient et à combien de milliers d'années remontait leur civilisation.

Ils n'étaient certainement pas sémites, mais probablement originaires des montagnes du Caucase.

Il est toutefois certain qu'une grande civilisation débutait à cette époque, qui absorba ensuite tout l'Orient, s'étendit en Palestine, en Syrie et en Grèce, gagna plus tard Rome, et ensuite les pays d'Europe de l'Ouest, de l'Est ainsi que la Nouvelle Amérique.

Une ruine découverte à Nippour nous fournit des signes de la civilisation datant de 7600 av. J.-C.

Nous savons maintenant que les Sumériens avaient de grandes connaissances en astrologie, qu'ils ne vénéraient pas les bêtes comme des divinités, mais réser-

vaient ce titre suprême aux humains. C'est certainement une des raisons pour lesquelles la suite d'un
grand prince se fit enterrer vivante avec son maître.

Des tombeaux trouvés à Ur nous ont donné les
preuves de cette fidélité extra-terrestre !...

Les squelettes des femmes qui s'offraient à de tels
sacrifices portaient de riches bijoux tels que : des
boucles d'oreilles en argent, en lapis-lazuli ou en cornaline, des colliers et autres parures. Ces femmes
s'étaient sacrifiées, persuadées qu'il était de leur
devoir même de partager la nuit de mort avec leur
prince-dieu.

Dans le tombeau de la reine Chub-Ad, on trouva
beaucoup de bijoux ainsi qu'un poudrier et dans celui
de son mari des produits cosmétiques.

Le savant Woolley, lui, a découvert des preuves du
contraire dans un tombeau de roi de l'an 4000 av.
J.-C. qui avait été creusé à une profondeur de 12 m
dans le sol. Il y avait eu là un massacre effroyable !
On trouva des sentinelles assommées qui portaient
encore leur javelot à la main et neuf squelettes de
femmes sur deux voitures légères ; il y avait également
de nombreux squelettes de cochers assommés. Plus
loin, sur deux rangées, dix dames de la cour et un
artiste, qui tenait encore une harpe précieuse dans les
bras. Tous avaient été assassinés.

A côté de la civière de la reine, il y avait les squelettes de deux hommes agenouillés. Il est presque
certain qu'il ne s'agit pas là d'acte de pillards, ou de
squelettes d'esclaves car tous portaient de riches
bijoux. Il s'agit plutôt de sacrifices consommés par
des prêtres fanatiques en l'honneur de leur roi.

Nous avons toutes raisons de supposer qu'il y avait
de grandes différences de classes chez les Sumériens

et que l'existence dut être assez dure pour les pauvres.
Mais nous trouvons également un roi réformateur :
Urukagina de Lagash, qui avait régné vers 2900
av. J.-C.

Dans ses tablettes, nous trouvons un de ses décrets :
« Le grand prêtre n'a pas le droit de pénétrer dans
le jardin d'une pauvre mère pour s'y emparer des
fruits à titre d'impôts, car ceci sera considéré comme
un vol. »

Un autre décret nous démontre que les impôts,
à cette époque, durent être assez élevés, car le roi
se trouva contraint de diminuer les taxes sur les
funérailles.

En 2897 av. J.-C., un certain Lugal-Zaggisi sur-
prenait les Sumériens en envahissant Lagash, détrô-
nait le roi Urukagina, détruisait les temples et les
effigies des dieux, assommait et pillait.

Nous avons retrouvé la complainte d'un poète
sumérien, Dingiraddmu, à ce sujet :

« On a même enlevé notre roi du temple. Quand
reviendras-tu, Ohn, maîtresse de ma ville, quand nous
rendras-tu la paix ? »

Cette attaque par surprise ne fut pas la seule, mais
les Sumériens n'en ont pas péri. Au sommet de leur
civilisation, ils furent attaqués par les Sémites venant
d'Akkad, qui les dominèrent toujours.

Leur Etat et leur religion disparurent progressivement et le peuple fut assimilé par les Sémites, ainsi
que les Etrusques le furent par les Romains.

Mais la grande civilisation des Sumériens servit de
base à la civilisation sémite. Un roi parvenu, Sargon Ier qui était un ambitieux, leur fit tout de même
beaucoup de bien. Il fit prisonnier le fameux Lugal-
Zaggisi qui avait détruit Lagash, et le fit enfermer

dans une cage. Après avoir conquis d'autres pays, entre autres celui que l'on appelle de nos jours l'Anatolie, il fonda un empire : l'empire de Sargon. Mais lorsqu'il voulut se faire élever au rang de divinité, après un règne de cinquante-cinq ans, tous ces peuples se révoltèrent et l'heure du crépuscule sonna également pour lui !

Le pays des Sumériens recommença à vivre vers 2600 av. J.-C., sous le monarque Gudéa. On peut lire sur la pierre tombale de celui-ci : « Pendant ton règne, l'esclave était égale à sa maîtresse. L'esclave avait le droit de marcher à côté de son maître et les faibles pouvaient compter sur les forts. »

La capitale était redevenue puissante et les villes de Larsa, d'Uruk et de Nippour s'étaient enrichies.

Le roi Dungi établit un règne très sage et le peuple s'exclamait : « Tu nous as rendu le paradis ! »

Puis les ennemis pénétrèrent de nouveau dans le pays, enchaînèrent le roi et enlevèrent les femmes. On ignore la durée de leur règne. Après eux, il y eut le roi de Babylone, Hammourabi (2003-1961). C'est lui qui fut l'instigateur de l'ère babylonienne et de sa civilisation. Nous savons, aujourd'hui, que Babylone avait une civilisation proche de celle des peuples sumériens. Mais là aussi, l'archéologie est encore loin d'avoir tout dévoilé, car leur immenses trésors, leurs tombeaux et leurs temples se trouvent, certainement, encore à plus de dix mètres sous terre.

Depuis que la science a réussi à déchiffrer leur écriture, nous connaissons leur mode d'existence. Leur ère allait de 2100 à 560 av. J.-C.

Au début de cette époque, se place le roi Hammourabi et, à la fin, Nabuchodonosor. Cette chaîne fut interrompue par les Kassites, peuple montagnard, dont trente-six rois régnèrent pendant 577 ans. Nous avons retrouvé la presque totalité des lois promulguées par Hammourabi, qui prétend les avoir reçues directement de Dieu, comme le fit plus tard Moïse dans la Bible.

A Paris, au Louvre, il existe une pierre gravée (dite le Code d'Hammourabi), qui nous montre Hammourabi, recevant ses instructions de Dieu. Toutes ces lois se basaient en principe sur le vieux proverbe de l'Ancien Testament : « Œil pour œil, dent pour dent. »

La plupart accordaient tous les avantages à la classe dirigeante et aucun au peuple et aux esclaves.

En ce temps-là existait également le royaume des Hittites qui eurent des guerres et des alliances avec les Egyptiens de la XVIIIᵉ dynastie. Après que l'on eut réussi, en 1915, à déchiffrer l'écriture cunéiforme hittite, les grandes plaques de terre cuite qui avaient été découvertes en 1906 lors des fouilles turco-allemandes purent être lues. Depuis lors, Hattonsa, l'ancienne capitale des Hittites, dont les fondations existent encore non loin du village moderne de Bogazkoy, est devenue le centre d'une nouvelle science, la hittitologie. En 1915, on trouva d'autres textes en cunéiforme.

Le pèlerin qui se rendait dans Babylone [1] la capitale, il y a plus de 3500 ans av. J.-C., apercevait de loin, avant d'arriver aux portes de la ville, l'édifice le plus important de l'empire : la tour de Babel qui se dressait vers le ciel. Cette tour avait sept étages et était plus haute que les pyramides. Ses murs étaient

---

1. Le Babel de la Bible.

faits de faïence bleue ornée de lions d'or, symboles de la déesse Ischtar. A l'étage supérieur, il y avait un temple avec un autel en or massif. Toutes les nuits, dans un lit d'apparat, une belle vierge s'apprêtait à recevoir le dieu de Babylone. Au pied de la tour, et sur la grande place qui la précédait, le peuple menait grande vie. Les mœurs qui régnaient dans le temple de la déesse Mylitta étaient assez spéciales. Des jeunes filles sélectionnées, allongées dans le temple, devaient se prêter aux plaisirs des visiteurs !... Parmi ces heureux élus, nombreux étaient ceux qui choisissaient leurs servantes. Hérodote raconte à ce sujet :

« Et les étrangers arrivèrent. Le premier venu choisit la plus belle et lui lança une pièce d'or. Ce qui la sacrait, puis il l'emmena avec lui. La pièce d'or appartenait au temple. »

Une fois chez lui, l'homme décidait de garder ou non la jeune fille et d'en faire sa femme.

Les mœurs pratiquées dans le temple du dieu Mardouk n'étaient pas plus morales. De larges rues et des ruelles menaient vers le temple, jusqu'au grand portail d'Isch qui a été découvert par des savants allemands avant la Première Guerre mondiale et qui fut déposé au musée Pergamon.

L'histoire de Babylone est assez mouvementée. Vers la fin du royaume babylonien (605 à 562 av. J.-C.), régnait Nabuchodonosor. Nous appelons cette période l'époque de la nouvelle Babylone, ou le royaume des Chaldéens, comme l'appelaient les Grecs.

Nabuchodonosor était le fils de Nabopolassar, il avait battu les Egyptiens sous le roi Néchao, vaincu la Syrie et la Palestine, détruit Jérusalem en 586 av.

J.-C., et amené les Juifs en exil à Babylone. Il avait construit des palais, 54 temples et des canaux qui apportaient l'eau de l'Euphrate et du Tibre jusqu'à l'intérieur du pays. Il avait fait construire également un mur gigantesque, d'une longueur de 85 km, autour de la vaste ville de Babylone. Ce mur était si large qu'une voiture à 4 chevaux eût pu y rouler. Il avait fait jeter des ponts sur l'Euphrate et creuser un tunnel qui menait d'une rive à l'autre. Sur les briques de faïence brillante, on pouvait lire l'inscription : « Je suis Nabuchodonosor, roi de Babylone. »

Ce roi extraordinaire fut également le créateur d'une des merveilles de l'Antiquité : les jardins suspendus de Babylone. Non loin de son palais, il avait fait ériger d'immenses piliers de 65 m de haut, sur lesquels étaient posées des terrasses de 130 m². Ces gigantesques balcons avaient été plantés d'arbres exotiques et de fleurs. Dans les colonnes, il y avait un système de pompe actionné par les esclaves pour arroser les jardins. Il avait fait cadeau de cette construction extraordinaire à la jeune reine Sémiramis, la fille de Cyxare, roi de Mèdes, qui venait des montagnes et n'avait pu s'habituer aux grandes chaleurs de la ville. Certains témoignages prétendent même que la ville était magnifiquement bien éclairée pendant la nuit, parce que le sol était riche en pétrole. Mais Alexandre le Grand estimait que cette légende était inexacte.

Nous savons maintenant avec certitude que Nabuchodonosor s'adonnait aux stupéfiants et qu'il se comportait en état de délire comme un animal qu'il croyait être.

La Bible nous rapporte qu'il criait comme un bœuf, mangeait de l'herbe et marchait à quatre pattes à travers son palais. Deux de ses successeurs menèrent une vie d'orgies et de cruautés, bien faite pour miner la puissance du royaume. Le troisième de ses successeurs fut Nabonetus (550-538 av. J.-C.) — La Bible le nomme Belsasar — c'est lui qui s'allia avec le roi Crésus de Lydie, contre les Perses.

Ruines de Babylone (Atlas-photo, Paul Popper).

A l'occasion d'une grande orgie, à l'instant où tout le monde chantait en l'honneur des dieux, Belsasar fit apporter les vases sacrés qu'il avait pillés dans le temple de Jérusalem, et demanda à ses invités de les profaner en buvant dedans. A ce moment, ainsi que nous le rapporte le prophète Daniel, dans la Bible, une main apparut sur le mur de la grande salle et on entendit ces mots : « Mane, thecel, pharès. » Balthazar fut pris d'une grande frayeur et comme ses prêtres ne comprenaient ces paroles, il fit amener devant lui le prophète Daniel, son prisonnier, qui les lui traduisit : « Dieu a pesé le roi et l'a trouvé trop léger. » Ce Mane, thecel, pharès, se réalisa bientôt.

En 538 av. J.-C., des conquérants contournèrent l'Euphrate et prirent la ville de Babylone, malgré ses fortes murailles. Ainsi le royaume sombra. Les Babyloniens sémites furent relevés par les Assyriens, qui pénétrèrent dans les vallées des deux fleuves, en détruisant tout sur leur parcours. Une gigantesque chasse aux Juifs eut lieu, accompagnée de pillages, d'incendies et d'assassinats. Les Assyriens les plus cruels furent Assurbanipal, Tiglat-Pineset et Sennacherib. Le dernier avait fait raser 49 villes et 800 villages et avait fait prisonniers 208 000 personnes. Lorsqu'il apprit que la population de Babylone réclamait sa liberté, il fit brûler la capitale et tuer de nombreux hommes, femmes et enfants. Les rues étaient pleines de cadavres.

La Bible nous apprend qu'à cette époque la reine de Saabah[1] d'Arabie était partie pour Jérusalem,

---

1. Saba.

emportant dans sa caravane des pierres précieuses, des épices et de l'encens qu'elle destinait au roi Salomon, ainsi que 600 kg d'or. Elle aurait, dit-on, entrepris ce voyage pour apprendre du sage roi l'art de régner. Lorsqu'elle revint un an plus tard, elle portait dans son sein l'enfant de Salomon à qui le roi avait prédit que ses descendants régneraient aussi longtemps sur l'Abyssinie que le soleil éclairerait son pays.

Cette prophétie s'est confirmé car l'empereur d'Ethiopie Haïlé Sélassié se réclame aujourd'hui encore des descendants de Salomon, Lion invincible de Judas et Exécuteur de la Sainte-Trinité.

En l'an 300 apr. J.-C., les Ethiopiens se sont convertis à la religion chrétienne. Ce récit de la Bible avait toujours été considéré comme une légende, mais aujourd'hui sa véracité est prouvée. Nous le citons, pour démontrer qu'il y avait encore en Orient, à cette époque, des peuples d'une civilisation avancée.

Il y avait également, en Arabie du Sud, entre la mer Rouge et le golfe d'Aden, les pays Ma'in, Ouatabe et Saba. Leurs terres étaient très fertiles et très peuplées, et couvertes de forêts, grâce à un système d'irrigation artificielle. C'était environ vers l'an 1500 av. J.-C. Dans cette même région vécut aussi vers l'an 950 av. J.-C., le peuple Mari avec la reine de Saba. La capitale de ce pays était le plus important carrefour de toutes les routes de communication entre la Méditerranée et les Indes. Ici se faisait le transit de toutes les marchandises précieuses de l'époque : la myrrhe, le mum, les huiles et les épices. Ainsi, la ville de Saba qui jouissait d'une prospérité légendaire fut appelée en Orient « le pays où coulent le lait et le miel ». Cette prospérité déclina lorsque les navigateurs, et probablement aussi les Phéniciens, arrivèrent à transporter à de meilleurs prix les marchandises par bateaux, en traversant le canal qui reliait la mer Rouge à la Méditerranée. L'appauvrissement de Saba ne permettrait plus à ce pays d'entretenir son système d'irrigation artificielle. Les forêts furent déboisées, la pluie se fit de plus en plus rare, le sable du désert commençait à recouvrir le pays et enfin des guerres achevèrent la destinée de ce peuple.

Depuis, le pays de Saba repose sous les dunes du désert et attend d'être ressuscité par les archéologues. Plusieurs ont déjà échoué, un certain nombre y ont même laissé leur vie.

Quelque temps après la dernière guerre, l'Américain Wendell Phillips, président de l' « American Fondation for the Study of man », survolait Mari à basse altitude. Il reconnut soudain les contours des ruines anciennes, sur plusieurs kilomètres. C'était évidemment un stimulant énorme pour le savant, qui l'incita à entreprendre tout de suite une expédition. La « Fondation Américaine pour les études de l'origine de l'homme » accepta de financer ce projet et, avec la persévérance que nous connaissons aux Américains, les savants se mirent à l'œuvre. En 1952, une expédition atterrit sur la région d'Arabie, contrôlée par les Britanniques, avec une organisation telle que l'histoire de l'archéologie n'en avait jamais connu. Il y avait 16 camions lourds, 2 grues motorisées, 2 génératrices électriques, 50 000 litres d'essence et 100 caisses remplies de produits chimiques, de vêtements et d'outillage. Il y avait même des secrétaires avec des machines à écrire. Le chef de cette expédition était le docteur Wendell Phillips.

Le savant avait même prévu la plus grande des difficultés, c'est-à-dire la résistance des Arabes fanatiques. Ceux-ci protégeaient depuis toujours les lieux historiques où avait vécu la reine de Saba, et croient encore aujourd'hui que la reine, qu'ils appellent encore en arabe « Balkis », était une grande sorcière, et qu'elle avait lancé une malédiction contre chaque homme qui violerait son séjour.

Ils croyaient, d'autre part, que le diable et sept mille mauvais génies se partageaient les lieux, et que, comme la reine était ainsi protégée par les Arabes fanatiques, le plus pauvre des Bédouins n'oserait pas toucher aux objets enfouis sous les sables. A plus forte raison, les étrangers commettraient-ils un sacrilège.

Phillips avait demandé la permission de commencer des fouilles à l'iman du Yémen. Celui-ci haussant les épaules ne dit ni oui ni non. Lorsque le savant eut vaincu la résistance locale d'une tribu de Yéménites en leur faisant de riches cadeaux, il se trouva un jour devant les ruines de la ville de Mari. Dans la première ruine, où il entreprit ses fouilles, se trouvait un temple en albâtre. Une fois le sable enlevé, il tomba sur une grande pièce, où il put distinguer des figures de dieux et de gardiens, et une grille métallique. Etait-ce le tombeau de la reine de Saba ?

Mais bientôt les malheurs devaient commencer ! Le cheik de Mari, Abd El-Rahman avait envoyé ses hommes pour attaquer l'expédition. Grâce à leurs voitures rapides, les Américains purent sauver leurs vies.

Phillips n'a donc pas rendu un grand service à la science. Car, s'il avait été au courant des mœurs et des habitudes de ces pays, il aurait agi autrement. D'autre part, on a pu constater qu'il avait par la suite emporté des pièces précieuses qui, normalement, auraient dû être remises au musée Sanâa.

Parmi le grand nombre de peuples importants de cette époque, il ne faut pas oublier les Phéniciens. C'étaient les habitants des côtes de la Syrie actuelle et leurs ports étaient : Acre, Tyr, Sidon, Marathus, Serepta, Dora. Le mot « phoninos », en grec, veut dire : rouge. Il est probable que les Grecs ont créé le nom de phénicien parce que ceux-ci furent les premiers fabricants de la couleur « pourpre ».

En enlevant l'intérieur des murex (coquillages) qu'ils traitaient par un procédé peu compliqué, ils trouvèrent cette couleur tant appréciée du monde élégant de l'époque, comme des rois et des reines.

Nous ignorons l'origine exacte des Phéniciens, qui nous ont laissé peu de documents. Venaient-ils des montagnes du Caucase, ou étaient-ils apparentés aux Sumériens ? Leurs aïeux étaient-ils Sémites ? Venaient-ils du « Chanaan biblique ? » Ainsi que nous le relatent les tablettes d'Amarna, ils s'appelaient eux-mêmes les Kinahni. Nous savons surtout d'eux qu'ils étaient un peuple de gens valeureux et de grands navigateurs. Sur leur monnaie on voit aujourd'hui un modèle classique de bateau. Il s'agissait de galères actionnées par des esclaves, telles que les Romains les utilisèrent 1000 ans plus tard.

Ils furent les premiers à établir des communications régulières en Méditerranée et dans la mer Noire. Par exemple, on a trouvé dans le tombeau de Toutankhamon une voiture dont les roues étaient faites en bois d'orme que l'on ne trouve que dans les pays occidentaux. Il est fort probable que les Phéniciens l'avaient apporté en Egypte.

Les Phéniciens avaient créé des succursales en

Grèce, en Sicile, en Espagne, en France et en Afrique du Nord. En partant de Cadeira, le Cadix d'aujourd'hui, ils s'aventuraient sur l'Atlantique, jusqu'aux îles de l'Etain, que nous n'avons pu retrouver aujourd'hui. Ces îles auraient-elles disparu après la catastrophe de l'Atlantide ?

Nous savons également qu'en 700 av. J.-C., ils connaissaient l'archipel des Açores, l'Afrique occidentale, et qu'ils avaient traversé l'océan Indien.

Leur principe était « beaucoup de commerce et plus de guerre ». Mais d'autre part, ce n'était pas un peuple de poètes ou de penseurs.

Hérodote nous dit, à leur sujet, qu'ils s'étaient libérés en 1200 av. J.-C. du joug égyptien, qu'ils avaient entrepris de longs voyages, et que les Grecs qui ne dédaignaient pas la piraterie virent en eux un peuple de pirates. Homère chante en 800 av. J.-C. : « Et alors vinrent les Phéniciens, les vaillants navigateurs rusés qui transportaient des milliers d'objets dans leurs bateaux obscurs... »

C'est certainement en partie grâce à eux que les civilisations égyptienne, crétoise et orientale purent parvenir en Grèce, en Afrique, en Europe. Ils avaient été les intermédiaires entre Babylone et l'Egypte et avaient construit des villes considérables. Leur capitale était Byblos. Le papyrus, principal objet de leur commerce, est à l'origine de notre connaissance du papier et du livre.

Le commerce avait enrichi les Phéniciens. Leur roi Hiram Ier de Tyr (969 à 936 av. J.-C.) était un ami des rois David et Salomon. Il leur fournissait des cèdres du Liban et des maçons pour la construction de leurs temples.

La Bible nous dit : « Tyr construisit beaucoup et

récoltait l'argent comme du sable et l'or comme les excréments dans la rue. »

Comme tous leurs voisins, les Phéniciens étaient aussi polythéistes : chaque ville avait son Baal et le dieu de Tyr s'appelait Melkarth.

A Babylone ils avaient emprunté Ischtar, la déesse de la fécondité, et un de leurs dieux les plus étranges était Moloch, qui exigeait, pour son terrible culte, le sacrifice de petits enfants brûlés vifs.

Lors d'un siège de Carthage, ils avaient sacrifié à ce dieu cent garçons pour sauver la ville. Leurs tombeaux étaient construits pour l'éternité, comme ceux des Egyptiens.

En 1923, le Français Montet a découvert à Gebal le beau sarcophage d'Ahiram, mais tous les objets d'art que nous trouvons chez eux nous prouvent qu'ils avaient imité les civilisations qui les entouraient. Seule, la navigation était leur activité propre. Les grandes richesses que les Phéniciens avaient accumulées excitaient évidemment la jalousie des autres peuples de l'Orient. Déjà Nabuchodonosor avait assiégé la ville de Tyr pendant 13 ans. Alexandre le Grand réussit à la vaincre en détruisant d'abord les agglomérations qui se trouvaient sur la terre ferme et en construisant, avec leurs débris, un chemin vers l'île de Tyr.

Le grand Annibal (246-183 av. J.-C.), commandant en chef de Carthage, fils d'Amilcar, était également Phénicien.

Carthage était très riche et les Phéniciens de très bons commerçants, mais de très mauvais guerriers, pour que cette ville en soit venue à être la victime des guerres puniques.

Le véritable déclin des Phéniciens commença lorsque leur ville Sidon fut obligée de livrer leur flotte entière au roi des Perses, Xerxès. Combien de batailles navales ont été livrées entre les Perses et les Grecs avec des bateaux phéniciens ?

Lorsque Alexandre le Grand eut conquis Tyr, la Phénicie périclita. 8 000 habitants de Tyr furent tués et 30 000 partirent en esclavage. Bien que les rigueurs de l'occupation se fussent relâchées peu à peu, le peuple des Phéniciens s'assimilant à la civilisation des Grecs et plus tard à celle des Romains disparut progressivement.

Après l'Empire égyptien, celui de la Perse a été la plus grande puissance de ces temps anciens. Il comprenait sous le roi Darius (558-445 av. J.-C.) 10 provinces : la Palestine, la Phénicie, la Libye, la Phrygie, l'Ionie, la Cappadoce, la Cilicie, l'Arménie, la Syrie et l'Egypte.

Leur rayon d'influence allait à travers la Caucasie, Babylone, la Perse actuelle, l'Afghanistan, le Béloutchistan, les Indes à l'ouest de l'Indus, la Soctriane et la Bactriane, jusqu'aux steppes de l'Asie.

Pendant plus de 200 ans, les Perses furent les maîtres de millions d'hommes, d'une agglomération de peuples et de langues. La langue officielle était l'ancien langage perse, apparenté au sanscrit, mais l'écriture ancienne survécut avec ses caractères cunéiformes.

Nous savons aujourd'hui que ces hommes n'étaient pas des intellectuels, ils témoignaient de leur prédilection pour leur harem, la chasse et la guerre.

Néanmoins la doctrine de leur plus grand prophète, Zarathoustra, nous a été transmise. Leur religion était également basée sur le pouvoir d'une multitude de dieux et de prêtres.

*Ruines du temple de Bacchus a Baalbek. L'Ancien Testament fait une
allusion ironique (I, Rois, 18) au culte qui y était célébré
(Atlas-photo, Charles Lénars).*

Zarathoustra (700 av. J.-C.) se montrait scandalisé
par un tel fanatisme. Il prêchait : « Il n'y a qu'un
seul dieu, celui de la lumière et du ciel, Ahura-
Mazda. » Dans le livre de Mika-Waltari, qui avait
traduit des écritures anciennes, nous apprenons beaucoup de faits intéressants, au sujet des Perses. Quand
un esclave avait volé un poisson sec, il était sacrifié
sur l'autel du dieu Baal. Par contre, un banquier qui

vendait de l'or impur, ou un commerçant qui trompait sa clientèle avec de faux poids, n'était pas poursuivi.

Il était même permis de ruser avec le dieu Baal. Lorsqu'on avait l'intention de sacrifier un esclave au dieu, la loi religieuse exigeait que cet esclave fût sain et bon travailleur. Mais, il paraît qu'il était tout à fait dans les habitudes de tromper le dieu, en amenant sur l'autel des esclaves vieux et malades.

Leur déesse était Ischtar, divinité hébraïque appelée chez eux Aschtorate ou Astarté, et que les Cananéens, les Araméens et les Phéniciens vénéraient comme la déesse de la lune. Ainsi que la déesse de Ninive, elle était parée quotidiennement de nouveaux bijoux et portait une robe blanche et transparente. Elle était entourée de nombreuses jeunes filles, dont la tâche consistait à plaire aux visiteurs masculins du temple. La valeur et le nombre des bijoux et des cadeaux que les visiteurs du temple voulaient bien sacrifier à la déesse dépendaient de leur comportement.

La musique, le chant, le jeu et la danse y étaient également enseignés et les mœurs qui régnaient dans les temples étaient des plus légères.

Ce que les Babyloniens sémites avaient fait consciemment, c'est-à-dire créer des temples qu'ils considéraient comme un genre de maison publique, avait pris chez les Perses des formes beaucoup plus larges et démagogiques.

Le début du printemps était une des plus grandes fêtes annuelles. En dehors de la ville, se trouvait le tombeau du dieu Tamuz qui, chaque automne, était enterré accompagné des plaintes et des flagellations des prêtres. Ceux-ci, le printemps venu, enlevaient la grande pierre de la tombe et, à la jubilation du peuple, fêtaient la résurrection du dieu.

On organisait des cortèges bariolés — un carnaval. Le soir, lorsque la lune dispensait sa clarté blafarde, la fête devenait turbulente, la plus grande liberté, la plus parfaite égalité régnaient entre les sexes.

Bien que le prophète Zarathoustra ait été persécuté et ridiculisé de son vivant, sa doctrine d'un seul dieu s'imposa plus tard. Darius Ier la déclara « religion d'Etat » et condamna tous les autres dieux. Les prêtres qui ne voulurent pas se soumettre furent punis.

L'historien romain Pline nous raconte qu'un poète du nom de Zoroastre (nom que les Grecs donnaient au Prophète) avait écrit deux millions de vers et une « Bible », qu'on appelait Zend-Avesta.

Les Perses eux-mêmes prétendent que l'ouvrage original avait été écrit en lettres dorées sur douze mille peaux de vaches. Il est toutefois certain que cet original disparut, en dehors de quelques fragments, lorsque Alexandre le Grand fit brûler le palais de Persépolis.

Zarathoustra enseignait que le dieu Ahura-Mazda et le diable combattaient pour leur prédominance, mais qu'à la fin le diable serait vaincu et que le mal cesserait à jamais. Ainsi, tous les hommes bons se joindraient à Ahura-Mazda au paradis et les mauvais tomberaient dans le précipice de l'obscurité éternelle. C'était une croyance enchanteresse, mais qui, hélas, ne changeait pas beaucoup le sort des masses qui la partageaient, car, dans ces périodes, une guerre succédait à une autre et chaque nouvelle armée déclenchait la création d'une armée ennemie.

On sait que l'armée du roi Xerxès, forte d'un

million huit cent mille hommes, avait été anéantie
par les Grecs. Qu'était-ce Xerxès ? Hérodote donna ce
nom (d'après la Bible) au roi Ahasverus qui régnait
à Suse et avait épousé Esther. Il était bel homme
comme Cyrus, mais prétentieux. Son harem était nombreux et il aimait les fêtes. Finalement il fut assassiné
par un intrigant de la cour, et enterré avec pompe.
Sa disparition fut plutôt une réjouissance pour le
peuple.

Xerxès fut coupable de la chute de l'empire persan
que Cyrus et Darius et même Crésus avaient créé.

Sous le règne de ses successeurs, il n'y eut que
méfaits et assassinats. Le roi Artaxerxès avait fait
exécuter l'assassin de Xerxès. Xerxès II fut assassiné
par son frère et celui-ci par Darius II. Darius II
réprimait des révoltes en répandant le sang, il fit
couper sa femme en morceaux et enterrer vivants sa
mère et ses frères. Artaxerxès II tua son propre fils
et mourut désespéré lorsqu'il apprit qu'un autre de
ses fils avait préparé son assassinat. Ensuite, vint le
règne d'Ochus qui dura 20 ans, mais celui-ci fut
empoisonné par un de ses généraux.

Darius III réussit encore une fois à former une
armée de soixante mille soldats, qui fut battue par
Alexandre le Grand à Issos en 333 av. J.-C. Il avait
choisi un champ de bataille trop étroit et tandis
qu'Alexandre disait avoir perdu quatre mille cinq
cents hommes, les Perses en avaient perdu cent dix
mille. Il prit la fuite et abandonna sa mère et ses deux
filles, ainsi que tous ses trésors.

Alexandre le Grand n'eut pas beaucoup de mal à
donner le coup de grâce au règne de ces Perses déca-
dents et las de la guerre, car ils avaient été contami-
nés par les mœurs légères de Babylone qui sont deve-

nues proverbiales, et au sujet desquelles nous trouvons beaucoup de citations dans la Bible.

Les juifs eux-mêmes adoptèrent les mœurs de Babylone et lorsque le roi Salomon inaugura son temple, il fit tuer 20 000 bœufs et 20 000 moutons. Ensuite, tout Israël se livra à une immense orgie de quinze jours.

L'archéologie n'est pas encore à même de définir exactement l'époque du séjour des Israélites en Egypte. Les origines de Moïse ne sont pas non plus bien connues. D'après la Bible, la fille du pharaon l'aurait découvert flottant dans une corbeille sur le Nil. Il a été fort probablement élevé à la cour des pharaons où il put connaître leur culte religieux et les erreurs de leur règne. L'expérience le rendit sage et bon et il devint ainsi le « prophète Moïse ». Parmi les pharaons, plusieurs avaient un nom se terminant par : moses, comme : Kamoses, Amenmoses, Vezmoses et il est probable que Moïse a transformé son nom, afin de se donner l'autorité d'un chef. Il prêchait un dieu de la colère et de la vengeance, pour faire obéir les Israélites rebelles. Bientôt il franchit le pas essentiel du polythéisme et proclama la gloire d'un Dieu unique. Il est donc certain que la religion révolutionnaire du réformateur-roi Akhnaton porta ses fruits, car même plus tard, bien qu'ils vénérassent un certain nombre de dieux, les Romains eux-mêmes donnèrent de plus en plus d'importance au dieu du soleil, Mithra. Ce dieu fut d'abord le dieu des légionnaires, mais cette « religion de soldats » se répandit de plus en plus parmi le peuple.

Le culte égyptien d'Isis s'allia, se confondit de plus en plus avec elle ainsi qu'avec le culte anatolien de la Grande Mère.

La personnalité du dieu martyrisé, mourant et ressuscité (le baptême, la communion et la reine céleste, la résurrection, tenant l'enfant Horus dans ses bras) tout cela existait déjà lorsque Jésus vint au monde. Le 25 décembre, des millions d'humains célébraient la naissance de leur dieu solaire Mithra. Les légionnaires fléchissaient le genou devant l'image de leur « Sauveur », et dans tout l'empire, des opprimés parlaient à voix basse d'une ère nouvelle. Nul ne se doutait alors qu'elle débuterait bien plus tard avec la venue au monde d'un pauvre enfant de Nazareth. Et 33 ans après, lorsque la croix fut élevée sur le Golgotha, quelques centaines de pauvres seulement se doutaient qu'une nouvelle civilisation commençait.

Table des Matières

CE TROISIÈME VOLUME
DE LA
BIBLIOTHÈQUE DES GRANDES ÉNIGMES

A ÉTÉ ACHEVÉ D'IMPRIMER
SUR LES PRESSES DE
L'IMPRIMERIE HÉRISSEY
A ÉVREUX (EURE)
LE 27 NOVEMBRE 1970

LA MAQUETTE
DE LA RELIURE
A ÉTÉ RÉALISÉE PAR
ALAIN MEYLAN

Nº d'imprimeur 10371 : - Nº d'éditeur : 3906
Dépôt légal : 4e trimestre 1970